Precisely planned the Coronavirus Pandemic

徹底追及!

医療殺戮としてのコロナとワクチン

リチャード・コシミズ
菊川征司

ヒカルランド

9・11捏造《ねつぞう》テロを引き起こした
ディープステイトの連中が、
今20年の時を経て、
コロナ&ワクチンの偽パンデミックを演出し、
人口削減を実行中!

本書は、2021年９月11日にヒカルランドパークで行われたセミナー『世界を取り戻せ！　911テロ捏造《ねつぞう》と新型コロナ捏造　偽パンデミックの仕組み』を元に編集したものです。

目次

Part 1

ビル・ゲイツの人口削減計画からイベルメクチンで身を守れ！――リチャード・コシミズ

Part 2

10年以上も前から周到に準備されていた！コロナ・パンデミック――菊川征司

Part 3

捏造テロのアメリカ史とビル・ゲイツ製毒液ワクチン！――飛鳥昭雄

Part 4

3・11、9・11、コロナの茶番劇
——陰謀論じゃない、本当の陰謀だ！

——リチャード・コシミズ／菊川征司／飛鳥昭雄

カバーデザイン　櫻井浩（⑥Design）
校正　広瀬泉
本文仮名書体　文麗仮名（キャップス）

Part 1

ビル・ゲイツの人口削減計画からイベルメクチンで身を守れ！

リチャード・コシミズ

リチャード・コシミズ

知性と正義を唯一の武器とする非暴力ネット・ジャーナリスト。

1955年東京都生まれ。青山学院大学経済学部卒業後、商社勤務を経てジャーナリスト活動に入る。オウム事件、9.11テロ事件、衆参両院選の不正選挙、さらには巨大宗教団体の背後のユダヤ金融資本勢力の存在を追及して旺盛な言論活動を展開。ウェブサイトは１億7000万超アクセスと絶大な支持を受けている。

９・11自作自演の目的は、アフガニスタンの麻薬とイラクの石油

今、司会の方から「世界中から危ない情報を集めている」と紹介がありましたが、そうじゃないですよ。私は正しい情報を集めているのです。それがたまたま危なく見えるだけの話であって、〝陰謀論〟ではないんです。私は本当のことをしゃべっているので〝真実論〟です。世の中が陰謀論をやっているのです。例えば、今、菅《すが》政権がやっているのがまさに陰謀論です。今度、河野太郎という陰謀論の大家が総理大臣を目指すそうです。

きょうが9・11からちょうど20年目ということで、すごい節目です。9・11の真相は、20年たっても全然明かされていない。

私がこの世界に首を突っ込んだのは、9・11が発端になった。5年ぐらいいろいろ勉強していて、最終的に『911自作自演テロとオウム事件の真相』を2006年に

書いています（16ページの図1）。何で9・11とオウムが並んでいるの？　この時点で「リチャード・コシミズは頭がおかしい」とまた言われるわけです。でも、そのときに私は、9・11もオウムも黒幕は同じであるという結論があったので、そう書きました。

この本は私も初めて書いた本だったものですから、どうやっていいかわからなくて、護国寺《ごこくじ》の光文社に原稿を持っていった。そうしたら、編集長が「コシミズさん、いい本だと思う。でも、これを出版したら私はあしたクビになる」と言われたので、ああ、そうか、しようがないなと思って、今度は板橋の印刷工場に「すみません。この原稿で本をつくってください」と持っていって、「いいよ」と言われて自費出版した。その当時、百何十万円だったかを出して、A4判で出してしまった。世の中の標準を知らなかったからA4かなと思っちゃった。

どこに売ろうかなと思って、まずアマゾンは登録するだけだから簡単です。それから紀伊國屋さんの新宿本店にのこのこ出かけていって、置いてくれと。あと、ジュンク堂の池袋本店も、こんな恐ろしい本を置いてくれたの。今でもずっとお付き合いがある。それ以降、本は15冊ぐらい書いたのですが、自分1人の名前で書いた本は、1冊の例外もなくすべて自費出版です。要するに、製本工場を探して、そこにつくってもらうというパターンをやってきました。だから、あまりたくさんは売れないということで、15年たっても名前は全然通っていません。

9・11については皆さんよくご存じだと思うけれども、これは内部犯行であって、目的はアフガニスタンの麻薬とイラクの石油を分捕《ぶんど》ることだという基本的な理解を今でも持っています。それをやったのはG・W・ブッシュ（父親のブッシュ）であり、イスラエルという国であると考えています。

あのときに、彼らは核兵器を使ってツインタワーをぶっ壊している。この本の表紙も、私としてはツインタワーに飛行機が突っ込んでいるのを自分で描いたんですよ。こういう表紙をデザイナーに頼むと何万円かとられるけれども、いい表紙を描いてくれるらしいんです。全然知らないから自分で描いた。10年たっても、これはツインタワーに飛行機が突っ込んでいるところだというのは私が言わないと理解してもらえない（笑）。やっぱりプロの仕事はすごいなと思います。

問題は、あのときに大量の粉塵《ふんじん》が発生しました（図2）。これは実は非常に危険なダストで、これを吸い込んだ人たちは、今、恐らく半分ぐらい死んでしまっていると思います。やっぱりがんです。一番有名だったのがディスコクイーンのドナ・サマーで、がんで死にました。この人は、マンハッタンのダストを吸い込んだのが原因ではないかと自分で言いながら死んでいったそうです。

この女性は結構有名だと思います。ダストレディー（図3）といって、ダストで真っ白になってしまったのですが、実はこの人は黒人なんです。10年後にやっぱりがんで死にました。

あの9・11で被災した人たちは、今どんどんがんになっている。消防団員も、警察官もそうです。でも、それをメディアが報道しない。抑え込んでいる。死ぬ人はどんどん死んでいくだけです。

もう1人います。まだ死んでおりませんが坂本龍一さん。この方もやっぱりダストを吸い込んでいて、がんになられた。

つまり、核兵器を使ってWTC二つを潰《つぶ》したわけです。そんなこと、ビンラディンにできるわけないじゃないですか。そういう陰謀を、この人たちは本当にやるのです。

今回、タリバンの復活で9・11で成し遂げたことが一つダメになった。彼らはアフガニスタンを攻撃してタリバンを倒し、G・W・ブッシュが最初にやったのが、アフガニスタンで麻薬の生産を再開させたことです。カルザイ大統領というオイル・メジャーに勤めていた人間を傀儡《かいらい》の大統領に据えて、その弟がアフガニスタンの麻薬の元締めになったのです。今は暗殺されてしまいました。そんなことでアフガニスタンの麻薬生産、ケシ畑の面積がものすごい勢いでふえました（図4）。

9・11の後、アフガニスタンのタリバン政権が倒されたときに、タリバン政権は既にケシの栽培を禁止していたのです。ヘロインの原料であるオピウムの生産が極端に下がって、ほとんどなくなっている。これが裏社会にとってとても大きな問題だったわけです。つまり、裏社会はアフガニスタンのヘロインと南米のコカインで儲《もう》けている。このうちの半分がなくなってしまった。だから、戦争をやったのです。くだらない話だ。てめえらの麻薬の利権を守るために戦争をやって、タリバンを倒した。

ちょっと待ってくれよ。この間、タリバンが復活したじゃないですか。カブールを

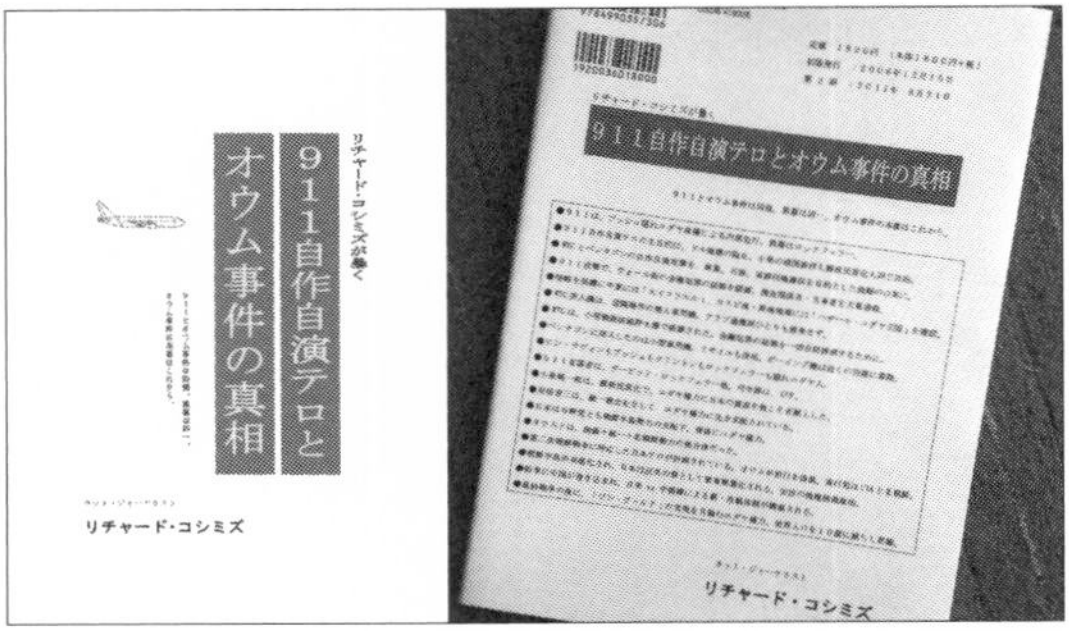

図１　原点の１冊

図２　WTC ビル崩壊で大量の粉塵《ふんじん》が発生。がん患者が急増したのは、核兵器が使用されたから！

図３　ダストレディー

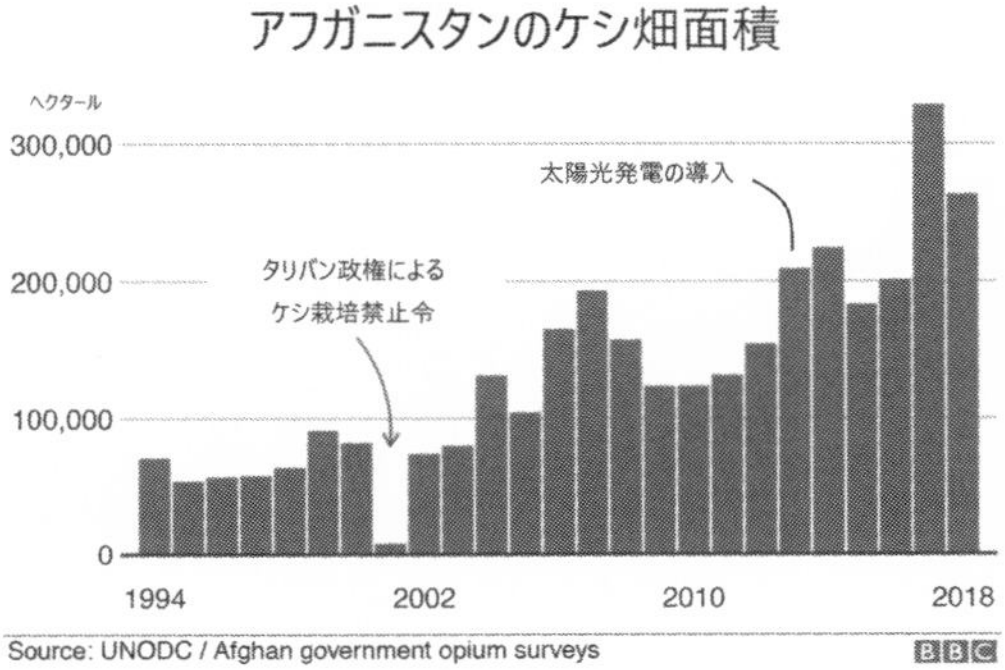

図４　タリバンを倒して麻薬が増えた！

占領しましたよね。タリバンが最初にやったことは、ケシの栽培の禁止です。また麻薬が枯渇しちゃう。ということは、裏でガタガタやっている変な連中の資金源の半分が、今なくなりつつあるのです。タリバンが政権を掌握したということは、ヘロインの利権が吹っ飛んだということです。今まで一生懸命やってきた偽のコロナ騒動用のテロ資金が半分なくなった。これを聞いて本当に喜びました。タリバンさん、よく戻ってきてくれた。ありがとうございます。

ところが、世の中はそれほど甘くない。タリバンも麻薬の禁止はしたけれども、その分、彼らも資金源がないわけです。アフガニスタンは世界でも一番貧乏な国です。では、これから本当に麻薬をやらないでアフガニスタンの国民が食っていけるのか。かなり厳しいという状況もあるので、最終的にはまた許してしまうのかもしれない。ただ、いずれにせよ、当面はヘロインのビジネスが止まってしまう。一番困るのはロックフェラー一族でしょう。

世界の大富豪たちの地球人口削減計画

その当時、やっと目が覚めたリチャード・コシミズは、その後、3・11でも目が覚めたのです。

3・11を自然の地震だと思っている人たちが、今ごろきっとワクチンを打っているのだと思うのですけれども、要するに、世間知らずです。簡単に言うと、失礼かもしれませんが、情報弱者、「情弱の愚鈍」と私は呼んでいます。ワクチンを打っている人たちは本当に何も知らないのです。どんなに危険なことかわかっていない。ワクチンは、誰が何のために打つのかということを理解していれば、絶対に打たないはずです。

それを理解できている人がどのくらいいるのか。何となくワクチンは危ないなと思っている人も含めて、半分もいないと思います。この状況だと、本当に3年後、5年後に日本人は半分いなくなります。だから、それを何とかしなくちゃいけないという話を、きょう、あと40分でしなくちゃいけないということです。

3・11は人工地震です。太平洋に使わなくなった水爆を埋め込んで爆発させて、これによって津波を起こしている。福島原発は全然関係ないです。福島原発が核汚染しているというのは、後から小規模な核爆発をさせて、後から汚して、反応炉が壊れたと騒いでいるだけです。現実には汚れているのは海だけで、福島原発の汚染水は、後から使った核兵器でほんの少し汚れているだけの話です。

そういう話で考えてみると、オウム事件があり、9・11があり、3・11があり、その続きとしてコロナのテロがあるのです。今起きているウイルスの問題、ワクチンの問題は、全部つながりがある。最初はオウムだった。9・11だった。3・11だった。同じ連中がやっているということです。それは、ウォーレン・バフェットやロスチャイルド、キッシンジャー、ビル・ゲイツ、ジョージ・ソロスなどです。もう死にましたけれども、デイヴィッド・ロックフェラーもいる。この人たちが何を考えて、そんなワクチンのいたずらをしようとしたのか。

裏社会のボス、ロックフェラーの跡目はビル・ゲイツ！

今、我々にとって問題なのはコロナではありません。ワクチンです。コロナはいったん忘れていいです。２００９年5月26日のウォール・ストリート・ジャーナルのトップページに“Billionaires Try to Shrink World's Population, Report Says”と書いてある（図5）。大富豪たちが集まって、地球の人口を減らそうよという相談をしたニュースなのです。これはウォール・ストリート・ジャーナルだけでなく、ロンドンタイムズ“The Times”だろうが何だろうが、あちこちで報道された記事です。日本のメディアは出さなかったかもしれないけれども、大ニュースです。

このときの会議の議長は誰だか知っていますか。ビル・ゲイツです。つまり、ロックフェラーが亡くなった後に、どうやらビル・ゲイツが跡目を相続した。ビル・ゲイツは裏社会のボスを任じていると考えていいと思います。

この人は、よくTEDという非営利団体の主催する世界的な講演会の会議というのに出ていろんな発言をしているのですが（図6）、「もし新しいワクチンと医療、出産システムをつくり上げれば、人口増加は10～15％抑えられると考えられる」と言っています。ワクチンを使って人口を減らすことができる。ただし、彼はこのときにちょっと遠慮して、本当のことを言わなかった。本当は10～15％残して、あとは全部なくすことができると言いたかったのでしょう。

TED会議ではまだいろいろ言っています。「もし1000万人以上の人々が次の数十年で亡くなるような災害があるとすれば、それはウイルスである」と言っています。つまり、ビル・ゲイツは自分のやろうとしていることを全部しゃべっちゃっている。そういう趣味でもあるんですかね。気持ち悪いな。普通、「俺、これから人を殺すもんね」と言って殺しますか。頭おかしいんじゃないの。まあ、おかしいからやるんでしょうけども。

ロシア公共放送は、ビル・ゲイツは人口削減するためにコロナワクチンで皆殺しを企んでいると、国民に警告したそうです。そのとおりです。

THE WALL STREET JOURNAL.

Home World U.S. Politics Economy Business Tech Markets Opinion Life & Arts Real Estate WSJ. Magazine

THE WEALTH REPORT

Billionaires Try to Shrink World's Population, Report Says

By Robert Frank

May 26, 2009 11:57 am ET

Last week's meeting of the Great and the Good (or the Richest and Richer) was bound to draw criticism.

The New York meeting of billionaires Bill Gates, Warren Buffett, David Rockefeller, Eli Broad, George Soros, Ted Turner, Oprah, Michael Bloomberg and others was described by the Chronicle of Philanthropy as an informal gathering aimed at encouraging philanthropy. Just a few billionaires getting together for drinks and dinner and a friendly chat about how to promote charitable giving.

Associated Press

図５

もし、新しいワクチンと医療、出産システムを作り上げれば
人口増加は10%～15%抑えられると考えられます
TED
もし１千万人以上の人々が
次の数十年で亡くなるような災害があるとすれば
TED

図６　人口削減を明確に主張しているビル・ゲイツ

だから、今回のことは、そんな難しいことは何もないのです。ハザールハン国出身の大金持ちの皆さんが、人口を減らして5億か10億人ぐらいにしちゃおう。そうすると、食料問題、エネルギー問題、環境問題、地球温暖化問題、全部解決できるじゃないか。だから、役に立たない連中を俺たちが全部ぶっ殺せばいいんだという結論を出している。今やっているのはそのとおりで、何の疑問もない。それだけの話。

さあ、大事な話は終わった。帰りますか。（笑）

ビル・ゲイツさんの毒入りワクチンの普及に協力しているのが、日本の誇る創価学会さんです。知っていた？　知らないでしょう。創価学会さんがアジアの国とか貧乏な国にワクチンを送り込むお手伝いをされているそうです。ビル・ゲイツさんと奥様から、感謝状をもらったそうです。

ビル・ゲイツが一番困った問題は、本当に人口を一番減らしたいアフリカ、中南米の人たちがピンピンしているということです。全然コロナにかかっていない。何で？　だったら、そこに恐ろしいワクチンをどんどん送り込んで、ワクチンを打たせまくればいいじゃないかということで、それに協力しているのが菅義偉《よしひで》やS価学会です。今、日本がその仕事を請け負ってしまっている。だから、何千万人分も一生懸命出している。それに対してビル・ゲイツはサンキューと言って、かわりに日本政府はビル・ゲイツに旭日大綬章《きょくじつだいじゅしょう》を出すという汚れた関係にあるのです。

ビル・ゲイツさんは、途上国の調達資金を含め、ワクチンをどうやって配分するか。つまり、途上国を殺したいのです。彼らハザールユダヤ人としては、一番気に入らないのはアフリカンの黒人と中南米のヒスパニックです。嫌いだ。こいつらを減らせ。ところが、神様はすごい。彼らを守ってくれている。アフリカンと中南米のヒスパニックは守られているのです。どう守られているか。後でお話しします。神の配剤です。

コロナワクチンでスパイクたんぱくが体内に蓄積され、血栓症になる

コロナのワクチンによって、体の中にスパイクたんぱく（プロテイン）ができます。それがだんだんふえていって、体中を血液と一緒に循環して末端にたまっていく。一

番たまるのが子宮、脳です。これが蓄積されると、毛細血管が詰まって血栓症が起きる。その結果、脳血栓、脳溢血《のういっけつ》、くも膜下出血、心臓だったら心筋梗塞《しんきんこうそく》とか、一般的な心不全という言い方でもいいと思う。要するに、血管が詰まってしまう。これがすぐに起きる人もいれば、ゆっくり起きる人もいるわけです。

スパイクたんぱくは、最初は微量ですが、だんだんたまっていくわけです。時間がたてばたつほど体の中にたまってくる。特に若い人は細胞分裂が速い。そうすると、スパイクたんぱくがふえるのも速い。今、若い人がワクチンを打った後にバタバタ倒れている。これはスパイクたんぱくの増加のスピードが速いということです。

コロナウイルスに感染しても、やっぱりスパイクたんぱくができるのです。ところが、ワクチンのほうはもっと巧妙につくってあって、ものすごく速いスピードで体中に広がるように設計してあるのです。つまり、完璧《かんぺき》な、非常に優秀な生物兵器なのです。こんなものを誰が打つかよ。打つやつは私にはバカとしか思えない。

ワクチン非接種者も、接種者のワクチン・シェディング（ワクチンの接種者から未接種者への曝露《ばくろ》）で感染する。ワクチンを打つと体の中でスパイクたんぱくがつくられる。これが呼気とか汗から出てくる。ですから、正直言うと、接種した人がそばにいると、敏感な人はすぐわかる。感じる。まず、じんましん、女の人は不正出血、頭痛が出る。これがあまり長く続くと、DNAが書き換えられて、結局、ワクチンを打っていない人も打ったのと同じになってしまう。

ワクチンを打った人は、スパイクたんぱくがどんどんふえていった結果として、血管が詰まったら普通は死にます。この間、中日のピッチャーが亡くなったり、テレビによく出る女医さんが倒れたりした。あれは全部血栓症です。

ワクチンの主たる攻撃力はスパイクたんぱくにありますが、もう一つ、ADE（抗体依存性免疫増強）があります。ワクチンによって作られた抗体がかえって自分の免疫に悪い作用をひきおこしてしまう現象です。

このワクチンは確かに武漢株には効果がある。だけど、武漢株以外には全然効果がない。武漢株に対しては強いけれども、それ以外の病気には逆に脆弱《ぜいじゃく》になってしまうということで、武漢株以外のコロナだったり、コロナ以外の病気に感染して死んでしまう。

今インドで問題になっているのがムコール病というかびの病気で、これもワクチンを打ち始めたことで広がっている可能性があるということです。

コロナ感染者、ワクチン接種者、非接種者のどれもが、スパイクたんぱくとADEで最終的には死んでいくことになると思います。この三つの種類の人というのは、考えてみると全人口です。つまり、今のまま放っておくと全員死にます。

もしかしたら、中にはスパイクたんぱくに特に強い体質の人、スーパーマンみたいな人がいて、生き残るかもしれないけれども、基本的には、皆さん死にます。ノーベル賞のフランス人の学者リュック・モンタニエさんが言うのは、3年から5年です。3年説の先生もいるし、5年説の先生もいる。全員ですよ。私は怖い話をしに来たのです。

アフリカ、インドで効果を実証したイベルメクチンで自分の身を守る

東京オリンピックで感染爆発して、自宅療養で家庭内感染する。これはわざとです。

それはそうでしょう。感染者が家にいれば家族にうつるに決まっているじゃないですか。わざとそういうふうにした。

今、実際にPCR検査で陽性になって、家にいなさいと言われるでしょう。そうすると、保健所からは2週間、何も言ってこないそうです。ナシのつぶてだそうです。何かくれるのかと思うと、2週間たってからミネラルウォーターとトイレットペーパーのロールが来るらしいです。普通の人だったらもう治っている。そんな感じで、結局、あれは「自宅療養」でなくて「自宅放置」です。これが現状です。中には自宅放置のまま死んでいく人もいるわけです。

では、身を守るすべはないのか。俺たちは何かできないのかということを、我々はことしの3月ぐらいにすごく悩んで考えたのです。いろいろ調べていってわかってきたのは、去年の中ごろあたりから、イベルメクチンの話が耳に随分入ってきた。これは使えるのではないか。いやいや、まだわからないよ、ほかにも関節リウマチなどの薬トシリズマブとかいろいろあるし、そもそもアビガンをさっさと認可して、どんどん使えるようにしなくちゃいけないのに、いつまでたってもだらだら認可を先に延ばして、今でもまだ認可されていない。いつ認可されるか全然見通しが立っていない。これは意図的なのです。わざとなのです。つまり、ワクチン販売の邪魔になるものは一切認めない。何とか抗体とか、変な名前のものとか、どうでもいいものばかり認めるのです。

イベルメクチンはインドあたりですごく頑張っているという話が耳に入ってきた。インドは貧乏人がいっぱいいるのです。貧乏人はワクチンなんか打てないんですって。その人たちがいつも飲んでいるメッチャ安い薬がある。それを飲んでみたら感染しないで済んでしまう。感染しても、飲むと重症化しないですぐに治ってしまうということがわかってきた。

イベルメクチンは、もともとオンコセルカ症の薬です。オンコセルカ症は寄生虫に刺されたことによって起こり、失明する病気で、アフリカあたりで年間3億人ぐらいにこの薬を配っています。たった1錠を年に1回飲むだけで、その病気にかからないで済む。それで年間4000万人が失明を逃れている。その寄生虫病の薬を開発した山梨県人の大村智《さとし》博士は、ノーベル生理学・医学賞をもらったのです。それをたまたまコロナに使ってみたら効いてしまった。大村先生だってびっくりです。そんなこと、最初から考えていない。

アフリカというと衛生環境がすごく悪くて、こういう病気は思いきり広がりそうな気がするじゃないですか。ところが、現実的にはコロナはほとんど広がっていないのです。調べてみてわかってきたのは、オンコセルカ症の予防のためにイベルメクチンを年に1回飲んでいるところは、コロナに全然感染していない。飲んでいないところはいっぱい感染している。これに気がついた人たちが騒ぎ出した（図7、図8）。

我々もそれに気がついて、このイベルメクチンというのはどこにあるんだというので探してみると、国内にないことはない。一応ある。どこにあるかというと犬猫病院で、犬猫の虫下しにも使っている。猫に与えるために液体なので、それを我々が飲むわけにいかないのです。

皮膚病の一種で疥癬《かいせん》という病気があって、それにもイベルメクチンを使えることがわかった。その病気の可能性のある人は、イベルメクチンを処方してくれと言うともらえた時期があった。実はみんなウソをついてもらったわけです。結構高い。1回2

WHOがアフリカで熱帯病を撲滅するために、イベルメクチンを投与してきた国と
投与しなかった国でのコロナ感染症数と死亡者数の比較
（2021年5月16日現在、いずれもWHOの統計から算出）

**イベルメクチンを住民に投与してきた国(32カ国）の
コロナ感染症結果**（人口は国連人口基金）

	感染者数		死者数	
32か国総人口	累計	10万人当り	累計	10万人当り
９億5300万人	128万人	134.4人	2万1259人	2.2人

イベルメクチンを投与していない国（22カ国）

	感染者数		死者数	
22か国総人口	累計	10万人当り	累計	10万人当り
3億5,800万人	340万3,086人	950.6人	10万4,826人	29.3人

東京都医師会　緊急記者会見（令和3年8月13日開催）　記者会見資料より引用

図７

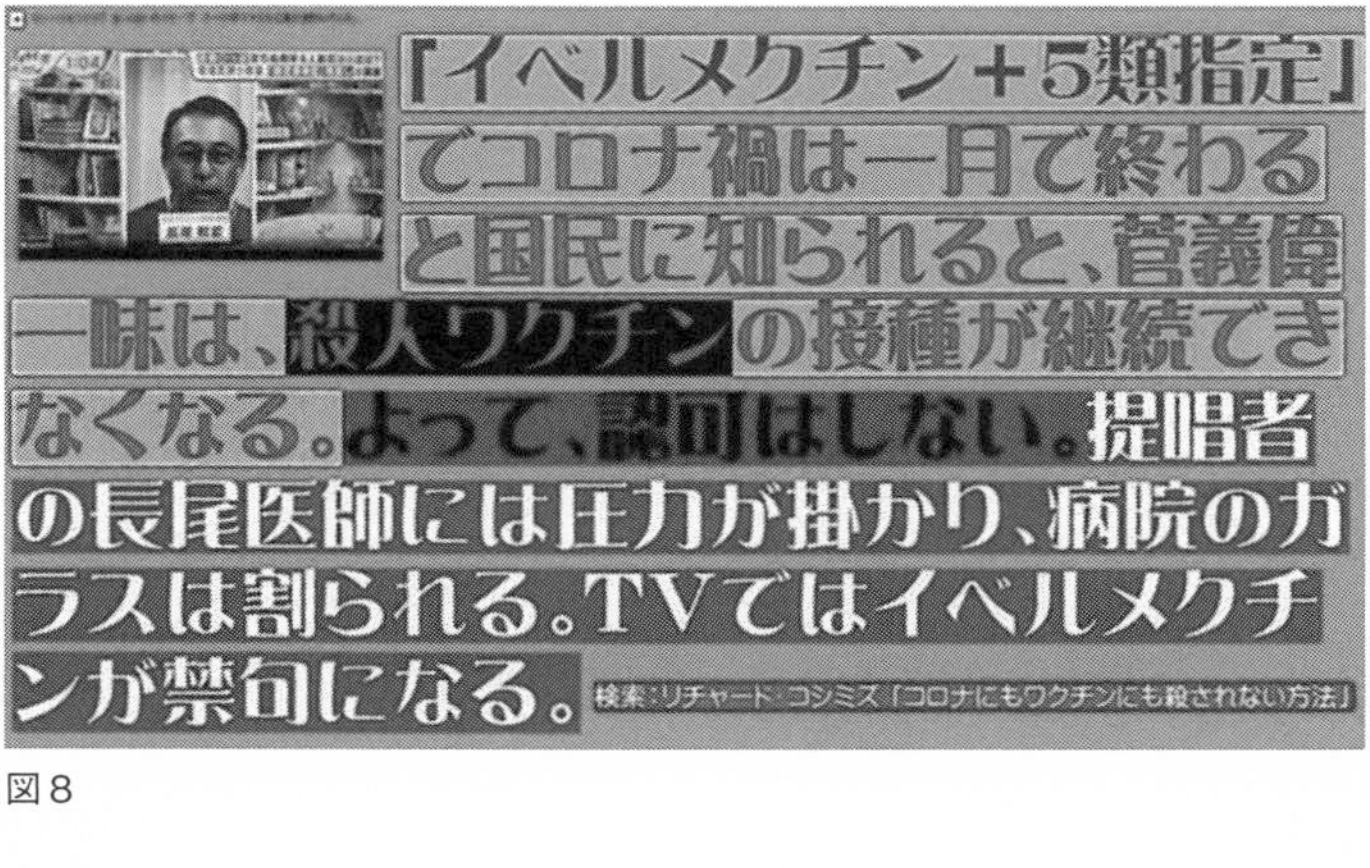

図８

万円ぐらいとられたみたいです。これではたまらない。

それに、まだ問題がある。つまり、コロナの予防がしたい。感染して発病した後に飲んだってしようがない。発病前に飲みたいのです。ところが、そんなことは日本の法律では許されていないわけです。どうしたらいいか。個人輸入しようというので我々はさっと動いて、インドからイベルメクチン12mg50錠をバカスカ入れた。みんな気が立っていたから、買い過ぎてしまった。

だって、予防だけだったら1錠でいい。1箱で50人分だよ。要らないや。はたと気がついたら、俺たちは何をやっているんだ。こんなに買ってしまった。私の周りに、そういうことを一緒にやろうと考えた人がたくさんいたわけです。具体的に言えないんだけど、たくさんいた。

イベルメクチン善意の無料配布、これだけあれば医者も要らない

さて、そのときに私が考えたのは、これから東京オリンピックが来て、変異株がどんどん広がっていって、しかも、家庭内感染がどんどん拡大していく。こうなると、感染者はむちゃくちゃふえるじゃないか。病院は患者を全然受け入れられない。そうなると、自宅で療養しなくちゃいけない。自宅で療養と言っても、現実には2週間後にミネラルウォーターが来るだけだ。意味ない。何とかしなくちゃいけない。自宅療養の段階でイベルメクチンが1錠あったら、その人は助かるんじゃないのと思って、私は、ある日突然「イベルメクチン善意のマルチ商法」キャンペーンを始めた。考えてみると、言葉がちょっと悪かったね。「マルチ商法」なんて言うから、みんな心配しちゃって、詐欺じゃないかと思った人もいるらしいけれども、詐欺ではない。

今、感染して療養している人、言ってください。我々はイベルメクチンを何錠か送るから、それで療養して、どんなぐあいか教えてください。条件としては、おカネは一切とらない。薬機法（旧薬事法）に従って、我々はおカネは要りません。おカネが絡むとろくなことはない。ぐちゃぐちゃになってしまう。そのかわり、それを飲んでみて、どんな経過をたどったかレポートしてくださいというので募ったら、ドサドサと入ってきた。

それを我々は手分けして、例えば福岡にいる仲間が100錠持っている。じゃ、九州の人はそこへ注文してくれという感じで、我々も作業を分担した。あまり集中されると、こっちも寝る暇がなくなってしまう。

正直言って、たくさんの人が来ました。「感染して8日目です。熱が39度から下がりません」。これはヤバイでしょう。このまま放っておいたら肺炎になる。しょうがないから290円の速達代金を払って送った。我々は郵便料金は全部自腹で出した。薬ももちろん自分で買ったのですが、それも無償であげるということでどんどん送った。

3日、4日すると、「治りました」、「熱が下がりました」、「咳《せき》がとまりました」とどんどん来る。ネガティブな話は一つもない。この薬はすごい、本物だと思った。これだけあれば何も要らない。正直言って、医者も要らない。今必要なのはこれだけです。これは脂溶性なので、ちょっと脂こいもの、例えばフライド・チキンと一緒に飲むのもいい。

そうすると、本当に不思議な薬で、熱は下がるし、スパイクたんぱく自体の活動がとまってしまう。ふえなくなる。こんなことはあり得ない。神様がつくった薬だという感じがする。アフリカ人がたまたまこの薬をほかの目的で飲んでいたら、コロナにかかっていない。これは神の配剤でしかないでしょう。

イベルメクチンは２０２０年、インドなどで試され、著効を示した。インド、南米、アフリカで実績がある。年1回投与のアフリカでコロナは不発状態だったということです。

イベルメクチンで予防・感染者の治療、シェディング対策がとれると予測して、３月ごろからみんなで個人輸入を開始して、備蓄しました。備蓄の余剰分は、「イベルメクチン善意のマルチ商法」キャンペーンで少量を希望者に融通しました。受益者が自分も備蓄し、周囲に配布する。つまり、我々から3錠もらって、治った人はその薬に対する絶大な信頼を持ちます。そうすると、自分も輸入して持とうと思うわけです。だから、みんなどんどん輸入している。それも1回治っているのだから、１００錠も要らない。そうすると、その人がまた周りに配ります。今、このマルチ商法をワッと広げようとしている。

妨害されても供給し続ける

それをやっている最中で、とんでもない妨害を受けています。今イベルメクチンを推進しているのは、東京都医師会の尾崎治夫会長さん、尼崎の開業医の長尾和宏先生で、テレビに出たから皆さん知っていると思います。命を狙《ねら》われているそうで、恐ろしい。私は15年来ずっと命を狙われているので何ということはないけれども、彼らはそういうのに慣れていない。お医者さんは命を狙われる仕事ではないみたいで、ビビッちゃっています。

イベルメクチンで予防ができる。アフリカと同様に年に1度でいい。これを1錠飲んでいたら、1年間コロナを忘れられる。中には例外がいます。弱い人、免疫抑制の薬を飲んでいる人、ステロイドを飲んでいる人は、感染はする。それでもこれを飲んでいれば、ごくごく軽症で済んでしまう。イベルメクチンを飲んでいて死んだという話は聞いたことがない。死んだ、死んだという悪宣伝をしている人たちはいるけれども、具体的な話は全然出てこない。

イベルメクチンですぐに治る。ワクチンを打った人も助かる。スーパースプレッダー（通常考えられる以上の二次感染を引き起こす感染者）のウイルス量が激減する。つまり、この薬を飲んでいると発病してもウイルス量が全然ふえないので、そのまま終息する。広がらない。イベルメクチンを全般的に投入したら、恐らく1カ月でコロナは全部終わってしまう。

それでは困る人たちがいるわけです。おカネ絡みだったり、権力絡みだったりする。今現在、そういう人たちがイベルメクチンを必死に潰そうとしている。まさにこの瞬間も、必死になっている。

私はついきのう、1年以上続けていたブログを追い出された。突然アカウントを廃止しますと。その理由はよくわからない。しかし、私にはわかっています。私がイベルメクチンを無償供与しているからです。無償供与が先にどんどん進んでいって、広がってしまうと、誰もがみんなイベルメクチンをちょっと探せば手に入るという状況になる。5人集まったら1人ぐらい持っているという状況になると、それによってコロナ関係の病気は全部カバーできます。

ワクチンを打って副反応で苦しんでいる人がいっぱいいます。実はコロナよりもそっちのほうが多いのです。そういう人たちもイベルメクチンを飲むことによってかなり改善する。もっとも、全部ではないですよ。半年放っておいたらダメよ。血管はボロボロです。ボロボロになった血管は多少は治るだろうけれども、完璧には戻らないと思う。動脈硬化と同じだと思う。

だから、完全に何でもかんでもオーケーだというわけではないけれども、基本的に早め早めにイベルメクチンで対応すれば、この病気は病気でなくなる。まず初期に投与すれば、ただの風邪です。

このお薬は、今インドから輸入しているからすごく高い。50錠で8000円です。それでも日本人だったら何とかなるでしょう。1錠でいいのだから、何でこれを使わないのと、みんな疑問に思っています。どうしてこんなすばらしい薬を使わないの。

だから、私が言っているわけです。ビル・ゲイツが人口を削減すると言っているじゃない。あんたらは人口を削減するためにワクチンを打たれているんだよ。あんたは死ぬためにワクチンを打っているんだよ。何でわからないの。

最近、やっと少しわかる人が増えてきた。でも、これを私が言うたびに、極端な陰謀論者と言われるのですが、どっちが本当でしょうか。私はどう考えても、ワクチンを打たせる目的は人減らしでしかないと確信しています。

コロナ感染症は自然に終息する。ワクチンを打っても死に至らない。ワクチンを打っても後からイベルメクチンを飲めば、結構回復する。打つ前にイベルメクチンを飲んでおくと完璧で、私の知る限りでは何も起きない。症状が起こらない。おばあちゃんもおじいちゃんも、みんな普通にしている。そういうレポートが私のところにどんどん来ます。

医療関係者も、どうしてもワクチンを打たざるを得ないからイベルメクチンをくださいと言ってくる人が結構いっぱいいます。それに対して、余裕のあるところから出すようにしています。

そうやって助かった人たちが、今みんな個人輸入しているから、余計にドワッとふえるわけです。もっと供給できる。私が考えているのは、これをねずみ講的にふやしていって、9回連続で繰り返すと全人口を超えるという計算でやっています。

イベルメクチンは、変異株にも効く

ワクチン接種後に死んだ人が1155人（2021年9月10日、厚生労働省発表）というのは、あくまでも担当したお医者さんが、これはワクチンに関連していると考えて報告したのが1155ケースということであって、死んだけれども関係ないというのはこの数字に入ってきていない。死んだけれども因果関係なしと言う先生のほうがずっと多い。なぜかというと、その先生はスパイクたんぱくのこともADE（抗体依存性免疫増強）のことも知らない。正直言って、コロナワクチンのことをわかっているお医者さんは10人に1人もいません。何も知らない先生が診断しているのです。

例えば、あなたがＰＣＲ陽性だったのでお医者さんに行ってみました。「先生、私、イベルメクチンで治療してほしいんですけど」、「アビガンで治療してほしいんですけど」と言うと、先生は「イ、イベ？　知らない」。本当に知らないんだよ。「そんなものは認可されていない薬だからダメだ」と言って使わない。これで終わり。本当に運が悪いとそれで終わってしまう。

もっとアンテナを高く立てて、いろんな情報を手に入れていれば、絶対リチャード・コシミズに引っかかっているはずです。そうすると、わかった、イベルメクチンを自分で何とか調達するしかないと思って、必死に手に入れようとする。たったの３錠でいいのです。感染しても、大概の場合は３錠飲めば治ります。そういうことに気がついた人は生き残る。私は、そういう人をもっとふやしたいのです。

バカみたいな顔をして、口をパックリあけてワクチンを打っている人たちはしようがない。私は、今回のことで日本人の何割かは淘汰《とうた》されると思っています。しようがない。いくら言ってもわからない。何を言ってもわからない。こっちが気が狂いそうになる。何でこんなに理解力がないんだ。そんな人にバカと言ったら、バカに怒られるぐらいのレベルです。そんなものを相手にしていたら、こっちがイヤになっちゃう。だから、今後、何割かの人たちはいなくなるでしょう。

元ゲイツ財団のワクチン開発局長のボッシュ博士（図9）は、「コロナワクチンを接種した人からは、すべての本来の免疫が消えてしまう。しかも、永続的に」と述べているので、どうでもいいカビで死にます。

エイズウイルスを発見したノーベル生理学・医学賞学者モンタニエ博士（図10）は、「ワクチンが変異株をつくる。将来の歴史書には、変異株を拡散させたワクチンとの烙印《らくいん》が押されるだろう」と言っています。ワクチンは感染を防ぐためではない。変異株をつくって、感染がどんどん広がるためにつくっているのです。

『ウォール・ストリート・ジャーナル』の記事、〝Biweekly confirmed COVID-19 cases per million people〟（図11）、100万人当たりの感染者数でダントツで〝すばらしい〟成績を上げているのがイスラエルです。イスラエルはワクチンを3回接種しています。接種すればするほど感染者がふえることをわざわざ示してくれている。ありがたいことです。

元ゲイツ財団　ワクチン開発局長　ボッシュ博士
本来の免疫が消えてしまう
ボッシュ博士の話の最も重要な箇所は、「コロナワクチンを接種した人からは、すべての本来の免疫が消えてしまう」と述べている部分です。
しかも、「永続的に」です。

図9

モンタニエ博士
ワクチンが変異株をつくる
将来の歴史書には変異株を拡散させた
ワクチンとの烙印が押されるだろう

図10

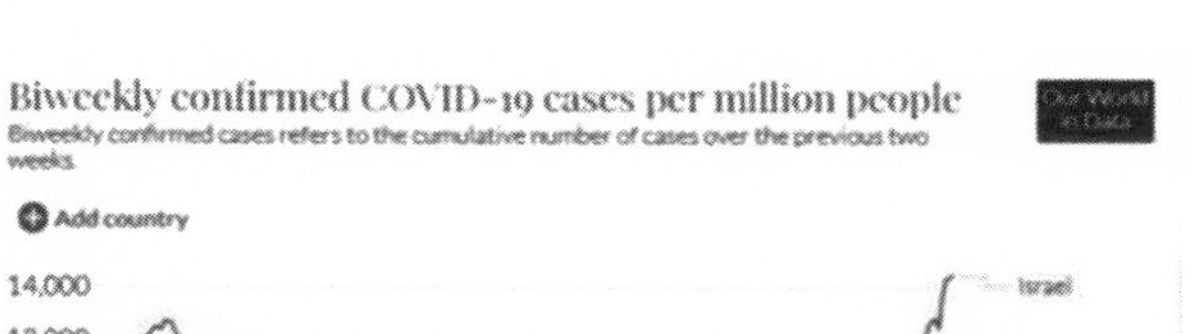
Biweekly confirmed COVID-19 cases per million people
Biweekly confirmed cases refers to the cumulative number of cases over the previous two weeks.
Add country
14,000
12,000
10,000
8,000
6,000
4,000
2,000
0
Israel
United States
Japan
Brazil
Colombia
Peru
India

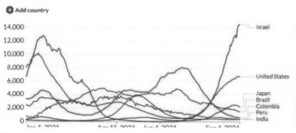

図11

一番下のほうで感染者が全然ふえていない国が、インド、ペルー、コロンビア、ブラジルです。この辺はイベルメクチン尽くし。カネがない国だからワクチンは買えません。その分、一番安いお薬のイベルメクチンを国の中でつくっているのです。何しろこの薬は25年前からある。既に31億人に投与された実績がある。だから、副作用も何もわかっているわけです。その薬を世界中でつくっています。だから、結構、手に入ります。

我々もイベルメクチンを手に入れるのにそれほど苦労していない。アビガンは結構苦労した。アビガンをつくっている国が限られてしまう。アビガンで半年ぐらい苦労して、これまた私は馬に食わせるほど持っています。馬はいないんだけど。(笑)我々はアビガンを扱っていたから、その後、イベルメクチンもすっと入って、輸入することができたのです。

今後、ミュー株とか新しい変異株がどんどん出てきて、代替わりしていくのです。新しい株が出てくると、そっちのほうが優勢になってきて、80%、90%を占めるようになってくる。そのミュー株には今のワクチンは効かないそうです。じゃ、どうするの？　効かないワクチンを打つの？　好きな人はどうぞ打ってください。なんだったら、面倒くさいから1度に10回ぐらい打っちゃいなさいよ。今さら生き残れないから、さっさと好きなだけ打ちなさい。10本ぐらいブスブス刺しちゃえ。知ったことかという感じになってきちゃった。

そうなってくると、ますますイベルメクチンです。ペルーのラムダ株だろうが、インドのデルタ株だろうが、イベルメクチンは関係ない。株ごとに効力が違うわけではありません。だから、これしかない。まともな人たちはみんな、とにかくイベルメクチンを導入すべきと言っている。

ところが、不思議でしようがないのは、日本という社会でイベルメクチンを推そうと言い出す人が全然いない。ベストセラーを書いている有名な先生も、「治験中の薬なんか飲むか、バカヤロウ」なんて言っている。

治験中だろうが何だろうが、治ればいいじゃんと私は思う。薬機法の問題とかいろいろありそうに思うでしょう。そこはちゃんと上手に逃げ回ってやっているわけです。とにかくこれがあれば、コロナを忘れられる。既にコロナをイベルメクチンで克服した国がいっぱいあります。もちろん発展途上国です。そういった国はこれからどんどん立ち直って、経済的にも回復してくると思います。そうなってくると、置いていかれるのがG7、日本です。これは大問題です。

今度、選挙があります。今度の選挙で自民・公明が大敗北するという話がある。ぜひそうなってほしい。それがまずいから菅さんが降板して、人気の高い河野太郎にすげかえるシナリオらしいけれども、私が調べた範囲では、河野太郎は人気がない。これからますます国民を怒らせると思う。そうなると、今回、もしかしたら本当に政権交代になるかもしれない。立憲民主党の枝野さんもちょっと弱いけれども、自公よりはましだ。昔から私は言うのですが、甲乙でなくて、丙丁《へいてい》つけがたい。(笑)

イベルメクチンを個人で入手する方法

皆さん、イベルメクチンで何とかしましょう。政府が何もしないのだったら、我々自身がイベルメクチン配り人になって、周りの人をどんどん幸福にしてあげましょうよ。みんなすごく喜んでいる。「熱が下がりました」だけではない。「私はワクチンを打ちたくない。ワクチンを打たないで感染を防ぎたい。だから、3錠ください。でも、私よりももっと困っている人がいたらそっちを優先してください」と。ああ、この行動ができるのは日本人だなと思って、5錠送っちゃった。

そんなふうに広がっていくと、政府が何をやっても、我々自身がこの社会を変えることができると思っています。

イベルメクチンはインドで買えます。日本国内では手に入りません。製造会社はアメリカのメルク。そのメルクが「イベルメクチンはコロナには効かない」と言っている。メルクは、ビル・ゲイツとつるんでいる。特効薬を出さないようにしてブロックしている。それに日本政府も協力している。本来はメルクに対して「出せ、バカヤロー！」とどなり散らしてくれなきゃ困るのに、わざとやっていない。

ということで、イベルメクチンを手に入れるには、日本以外でジェネリックを生産しているところを探す。我々が調べてみたら、インドが一番活発にやっている。どうやるか。実に簡単です。まず、薬の取次商社というのがあります。例えば「欧州屋」とか、KAIGAI-DRUGとか、何社もある。そういうところのサイトを開いて、イベルメクチンと打つとパッと出てくる。2ケースかごに入れる。はい、終わり。あとはちゃんとおカネを払うと、インドから郵便で3週間で着きます。

ただし、ドジを踏むと、神戸税関が止めます。その辺はちょっと気をつけなければいけない。取次さんに頼めばその辺は大丈夫ですが、値段が高くなる。だけど、我々日本人にとって50錠8000円はそれほどの負担ではないでしょう。インドから直接買うと6000円になるけれども、もしかしたら着かないかもしれない。

今は注文すれば3週間です。3週間待てない人のために、我々はこれを3錠、4錠配っています。これが手に入っただけで、すごく安心できる。ワクチンを打たないで済むし、感染したらパッと1錠飲めばいい。ちょっと熱っぽいな。はい、1錠。終わり。すごい薬なのです。これを開発した大村先生自身も、何てすごい薬なんだろうとびっくりしている。

私は、この薬が彼らの暴走を止めて、ビル・ゲイツを断頭台に送ることができると思っています。それを日本人が開発してくれたことがすごい誇りである。しかも、大村先生は私とルーツが同じ山梨県人で、韮崎《にらさき》高校出身です。私は韮崎高校じゃないんだけど。

皆さんも、イベルメクチンにぜひ注目してください。これは世の中を変えます。

ありがとうございました。（拍手）

Part 2

10年以上も前から周到に準備されていた！コロナ・パンデミック

菊川征司

菊川征司　きくかわ せいじ

富山県生まれ。観光旅行のつもりで立ち寄ったアメリカの自由な雰囲気に魅了され、以来在米生活30年余。

9・11同時多発テロ以降、重苦しい空気へと変化したアメリカ社会の根源をさぐり調査を開始。かつて世界から羨望《せんぼう》された豊かな国アメリカの衰退は、国際金融資本家たちの私企業たる米連邦準備制度理事会（FRB）設立に端を発することを知る。米国民に警鐘を鳴らしていた本物の政治家たちの遺志を継ぎ、『闇の世界金融の超不都合な真実』（徳間書店）を執筆。

他に『[新装版］世界恐慌という仕組みを操るロックフェラー』『ウイルスは［ばら撒き］の歴史』『トランプとＱアノンとディープステイト』『新型コロナ［ばら撒き］徹底追跡』、訳書にゲイリー・アレン著『[新装版］新世界秩序（ニューワールドオーダー）にNO！と言おう』（ヒカルランド）『ロスチャイルドが世界政府の“ビッグブラザー”になる』（徳間書店５次元文庫）。

ペンタゴンは飛行機の衝突でなく内部からの爆発

皆さん、こんにちは。ただいまご紹介いただきました菊川です。こういう場であまり話し慣れていないものですから、話がちぐはぐになるかもしれませんが、どうかお付き合いください。

きょうは、２００１年の米国同時多発テロの20年目の9月11日ということでこの企画をされたようですけれども、同時多発テロのことは少しだけにします。詳しいことは近刊の『9・11捏造《ねつぞう》テロ　20年目の真実』（ヒカルランド刊）を読んでいただければ、最初から最後まで捏造のカラクリがよくわかると思います。皆さんはたぶんコロナとワクチンに非常に関心があると思うので、そちらのほうに大半の時間を費やしたいと思います。

私はふだんマスクをしないのですが、今マスクをしないと世間の目が厳しいですね。

東京はそうではないかもしれないですけれども、私の田舎の富山なんて、マスクがないとどこも入れてくれないですよ。なしで入ると、「マスクしてください」、「マスク持っていますか」と言われます。マスクをしているほうが安心な参加者もいると思うんですけれども、これで話すと声がこもると思うので、ここでは外させていただきます。いろいろ説があって、マスクは全然役に立たないと言う人もいますけれども、今、社会的な通念で、これがないと歩けないですね。

さて9・11のことで私が申し上げたいのは、ペンタゴンは飛行機がぶつかったのか、ミサイルがぶつかったのかという議論がありますが、2013年に、あれは何もぶつかっていないと発表した女性がいるのです。

その人はレーガン政権の政策審議委員でした。連邦政府の中にコネがあったようで、シークレットサービスの日誌の中に書いてあることまで言っている。シークレットサービスの日誌を見られるなんて、相当のコネがないと無理だと思うのです。

その人が言うには、アメリカンエアラインのようにペイントした飛行機、グローバルホークが飛んできたけれども、建物にぶつかる寸前で爆破されたということです。

そして、ペンタゴンの屋根が落ちてどうのこうのというのは、9時半ごろから都合7回の爆発が内部であった。それをペンタゴンの職員たちからみんな聞き出しているのです。9時半から始まって、31分、32分、36分とか都合7回やって、その中の一つがシークレットサービスの日誌に何時何分と書いてあるということです

その人の説は、非常に筋が通っていると思います。私はその説に同意しています。

米国政府は10年以上前から、国内でのパンデミックを狙《ねら》っていた

同時多発テロは、息子のブッシュ大統領のときに起きましたけれども、その準備はクリントンの時代から始まっています。ブッシュのときには、今のコロナに通じることもやっています。ブッシュ政権は高致死性の感染症に関心を示していて、2003年11月にブッシュは大統領令13295を出しました。大統領令は法律ではなくて、連邦政府の職員とか正規軍に対する命令で、大統領は勝手に出せるのです。

それまでアメリカ政府は、7種類の感染症のうち一つにでも感染している人が国外から国内に入ろうとしたときには、それを拒否できる権限しかなかったのです。この大統領令では、何らかの病気が国内に発生したときに、制限なく逮捕・勾留《こうりゅう》できる権限を保健福祉省長官に与えました。そのときに、SARS《サーズ》（重症呼吸器症候群）も加えて8種類になったのです。

なぜ2003年11月だったのか。1997年にクリントン政権がフォート・デトリックにある陸軍の細菌兵器研究所にスペイン風邪の遺伝子配列を解明しろと命じていました。中心になったのがジェフリー・トーベンバーガー博士です。この人たちが遺伝子配列を完成したのが2003年10月なので、11月にブッシュがこの命令を出したようです。

これが始まりで、その次に2005年にインフルエンザが加えられました。しかしこのとき、流行中のものだけでなく「引き起こす可能性を秘める新種または再出現したウイルスが原因のインフルエンザ」と、流行する前のインフルエンザ・ウイルスも取り締まりの口実にしています。

今度は２００５年9月に、国連が「国連の鳥とヒト・インフルエンザ協調網」をつくって、その責任者を任命しています。ここから米国政府と国連が共同で、鳥インフルが発生するぞ、大変な人間が死ぬぞと騒ぎ始めるのです。

この動きが２００５年からずっと続いて、２００６年3月には保健福祉省が映画をつくると言って、5月には完成しています。その映画の名前は『Fatal Contact：Bird Flu in America（致命的な接触　アメリカの鳥インフル）』、そのままです。これはテレビで放映されました。この映画は中国に行ったアメリカ人が鳥インフルをうつされて帰ってくるのですけれども、そこから前半部分は今の我々が体験したコロナの状態にそっくりです。病院がごったがえしていて、人がいっぱい死んでいて、みんな家に閉じこもっている。

国連と米政府が協調して鳥インフルが起きるぞとばかり言っているときに、２００６年、国土安全保障省が、ハリバートンの子会社ＫＢＲに勾留所の準備を3億８５００万ドル（１ドル＝１１５円として４４２億７５００万円）で契約しています。つまり、捕まえた人間を勾留する施設をつくっているのです。２０１７年の記録では、それが1000カ所ぐらいあるらしいのです。そのうち、使われているのが350カ所ぐらいで、あとは全部あいているのですが、人員は全部配置されているらしいです。ブッシュ米政府は、なぜ人がいっぱい死ぬぞと言って、逮捕・拘禁できる権限を保健福祉省長官に与えて、拘禁施設をつくっているのか。これは私の想像でしかないのですけれども、国内で何か騒ぎが起きた場合、それを、感染症を理由にバンバン捕まえて放り込んでしまうのではないか。

何が起きるかというと、これも私の想像ですが、国民が政府に反乱を起こすようなことです。アメリカ人は個人の人権を非常に重要視しますから、それに逆らうようなことを始めるんじゃないかと私は思ったのです。

結局、9・11の後で何をやったかというと、もちろん新世界秩序計画の一部ですけれども、個人の人権を完全にないがしろにしたのです。盗聴が普通になってしまった。電話盗聴だけではないのです。ネットの盗聴とか、ある程度決まった言葉を打ち込むと、それがすぐにつかまって記録される。NSA(アメリカ国家安全保障局)には、そのためのとてつもないでかい装置がある。

米政府は、アメリカで感染症を引き起こすことを狙っていたと思うのです。新型鳥インフルは２００９年３月にメキシコで始まりました。ところが、その前の２００８年12月、バクスターという製薬会社が鳥インフルのＨ５Ｎ１、豚インフルのＨ３Ｎ２、人間のＡ型ウイルスが入ったワクチンの原液を、世界18カ国のバクスター研究所に送っていたのです。その動きは、カナダの国立微生物学研究所が見つけたため、結局、それは取りやめになったのです。けれども、これがもし世界中に送られていて、ワクチンとして人々に使われていたら、大変なことになっていました。

それが見つかってしまったものだから、何とかしようというので代役を立てました。パンデミック宣言までの段階は全部準備できていましたから、急遽《きゅうきょ》立てた代役は弱毒性でした。そのため新型インフルは、はっきり言って、ポシャりました。ＷＨＯはパンデミックを宣言しましたけれども、２００９年３月に起きた新型インフルはその年の末にはポシャって、10年後に出現したのが今の新型コロナです。

コロナウイルス研究の推移――武漢に流れたアメリカの予算

2002年4月19日に、アメリカがコロナウイルスの遺伝子組み換え方法の国際特許を申請しています。ノースカロライナ大学チャペルヒル校のラルフ・バリック他2名で、CDC（アメリカ疾病予防管理センター）ではありません。

SARSが始まったのは2002年11月です。その後、CDCが2004年4月に、ヒトから分離したコロナウイルスの特許を申請しています。

自然に存在する生物に特許が成立するのか不思議ですが、アメリカの最高裁が2013年に、ある判断を下しています。遺伝子に手を加えた工夫については、特許の対象であること。

コロナウイルスそのものでは特許は申請できない。けれども、それの遺伝子組み換えの方法とかCDCがヒトから分離したコロナウイルスの申請内容については認められる。つまり、ＳＡＲＳウイルス遺伝子の核酸配列とＳＡＲＳのオープン・リーディング・フレームのアミノ酸配列を配備、これらの微分子を使ってＳＡＲＳウイルスそのものと感染の有無を検知する方法に特許がおりています。コロナに関する特許をアメリカが持っているのです。

そして、２０１３年10月に武漢ウイルス研究所の石正麗《せきせいれい》という、いわゆるバットウーマン（コウモリ女）として有名な人が、『ネイチャー』に論文を出しています。その論文で、中国の洞穴にいたキクガシラコウモリから人間のＳＡＲＳコロナウイルスと同じウイルスを分離したと発表したのです。

アメリカも中国がやっているような細菌の研究に予算をつぎ込んでいますし、いろいろ補助しています。翌２０１４年にオバマ政権が、インフルエンザとＳＡＲＳとＭ《マ》ＥＲＳ《ーズ》（中東呼吸器症候群）のGain-of-Function Research（機能獲得研究）をもうやらなくていいよと言った。その残っていた予算をどこにやったと思いますか。武漢ウイルス研究所です。

これをイギリスの『デイリー・メール・オンライン』が、２０２１年４月に暴露しているのです。これは国立アレルギー・感染症研究所（NIAID）所長アンソニー・ファウチの指示で武漢ウイルス研究所に送ったらしいですけれども、考えられますか。『デイリー・メール』によると、これは初めてではない。過去10年間ずっとほかの企業の名前のもとに資金が送られていたらしいのです。つまり、アメリカの援助で武漢ウイルス研究所の石正麗博士がキクガシラコウモリのコロナを分離しているのです。

次に2015年11月、『ネイチャー』に再びこの人が論文を送りました。そのときの論文で、前に見つけたコロナウイルスにちょっと手を加えてネズミに感染させたら、ネズミの肺が治癒不可能なまでにグチャグチャになってしまったと書いている。それが『ネイチャー』に出ているのです。すごいでしょう。彼女はこれを霊長類にも試してみようかしらということを匂《にお》わせているのです。

そうしたら、同じ月に『ネイチャー』にフランスのパスツール研究所の反論が載りました。「SARSに関係するコウモリ・コロナウイルスのハイブリッドバージョンをつくった実験は、果たして世界的な感染流行を引き起こすことより価値があることなのか」と。これを書いたのはウイルス学者のサイモン・ウエイン＝ホブソンという人らしいですけれども、「研究者がつくった新しいウイルスは、人間の細胞内で著しく効果的にふえる。もしこれが逃げ出したら、誰もその道筋を予測できない」と書いているのです。

２０１５年に、先ほどコシミズさんがおっしゃいましたけれども、ビル・ゲイツが「これからは戦争で死ぬことよりも感染症のパンデミックで死ぬ人間のほうが多いだろう」と言っています。

それで２０１９年に出てきたのが新型コロナウイルスです。そのときに石正麗博士は、「おまえのだろう」と言われて、「私のじゃない。私のはどこにも出していない。ずっと閉じ込めてある」と言ったのですけれども、武漢ウイルス研究所の研究員が内部告発して、「２０１８年に新しく来た所長がこれを外に持ち出したよ」と言っているのです。その所長は純粋な学者ではなくて、政党員なのです。共産党ではないのですけれども、その党は中国政府の中でも高官を出しているので、共産党とつながりがあって、その関係だと思うのです。

酸化グラフェンは2019年から使われていた⁉

「世界最初の症例から間もなく1年　本当は新型コロナはいつから世界に広がっていたのか」という2020年12月6日Yahoo!ニュースの記事があります。

これによれば、2019年3月にバルセロナで排水から新型コロナウイルスが見つかっているらしいのです。ただし、その一年前から調べているのですが、出たのは3月だけで、その後も出ていないのです。イタリアでもだいぶ出ていて、アメリカは、「カリフォルニア州、オレゴン州、ワシントン州、マサチューセッツ州、ウィスコンシン州、アイオワ州、ミシガン州、コネチカット州など複数の州をまたぐ住民の検体で抗体が陽性であったとのことであり、特定の地域だけでなく、アメリカの広い範囲で2019年12月から2020年1月中旬までの間に新型コロナが広がっていたことを示唆する研究です」と書かれているんです。これを書いたのは、今テレビによく出ている忽那賢志《くつなさとし》さんです。

ということは、新型コロナは中国で出る前に、おそらく世界中でばらまかれていたと思われるのです。でないと、こんな結果が出るわけがないのです。

また、この時期において、コロナの死者がふえたという報告はないと書かれています。コロナの感染者はいたけれども、死者は通常のインフルエンザの死者よりもふえていないのです。ということは、弱毒だったんじゃないかと私は思うんです。私にはそれしか考えられないのです。

その弱毒のコロナが何で武漢であれだけの騒ぎを起こしたか。それを解く鍵は酸化グラフェンという物質です。うなずいている方がいらっしゃいます。すごい研究熱心ですね。酸化グラフェンと5Gのせいだという説です。

やっぱりご存じですね。さすが、ここにいらっしゃる方たちはすごいですね。今の社会は、戦時中の大本営発表状態です。一方的な情報を流して、国民を全部そっちに向けているのです。戦時中は戦争に行きたくないと言うと非国民でした。今はワクチン打ちたくないと言うと非国民扱いです。ここにいらっしゃる方たちは、それに従わないで、おかしいと思っているわけですね。偉い。感心します。

その話をすると長くなるのですが、武漢は中国でも５Ｇ通信の商業的な実験都市でした。その実験が始まったのは２０１９年11月です。

酸化グラフェンは、ファイザーのｍ《メッセンジャー》ＲＮＡワクチン30㎎の中にも１５０億個のナノパーティクルとして入っているそうです。８月13日のカリブ海の島国バルバドスのタウンミーティングで、ファイザーの内部資料を発表した人がいます。だから、ひょっとしたら２０１９年のインフルエンザのワクチンにもそれが入っていたのではないか。酸化グラフェンはワクチンのアジュバントと呼ばれるものです。アジュバントというのはワクチンの効果を高めたり、保存料の役割もするらしい。

以前はインフルエンザワクチンのアジュバントとして水銀が使われていました。その水銀が子どもたちの自閉症やいろんなものを引き起こした原因だと、ロバート・ケネディの息子が主張しています。今回、アジュバントとして、ひょっとしたら水銀のかわりに酸化グラフェンを入れた可能性もあるんじゃないかと思うのです。結局、そのせいで武漢にあれだけの死者が出たという説があるのです。

話はちょっとずれますけれども、今までスペイン風邪も含めていろんなパンデミックが起きたときに、必ず新しい電波が登場しています。新しい電波は生体にある程度の変化を起こして、人間が耐えられなくなる。それに慣れれば別なんでしょうけれども、そういう説があるのです。武漢の大量の死者は5Gの電磁波のためだという説がありますので、紹介しておきます。皆さん、自分で研究してくださいね。酸化グラフエンは危険な物質ですよ。

パンデミックを演出しているPCR検査のおかしさ

コロナ自体が弱毒だということがわかったので、パンデミックにするにはどうしようということで使われたのがPCR検査です。忽那さんの記事によれば、「PCR検査試薬の開発完了」が2020年1月10日ぐらいです。

中国で眼科医が、ちょっとヤバい肺炎があるぞと言い出したのが、たしか2019

年12月30日です。その眼科医さんは死んでしまいましたが、中国がPCR検査の試薬を1月10日にもう用意しているのです。

このPCR検査が曲者で、これが今のパンデミックを統計的につくり出していると言っても過言ではないのです。具体的に言いますと、1個のウイルスがいると、PCRはこれを培養していく。サイクルといいますが、2倍、それをまた2倍とやっていく。30サイクルやると、1個のウイルスが10億個になるそうです。1個ぐらいのウイルスだけでは、そんな病気にならないのです。でも、鼻を綿棒ですくって得た1個のウイルスを、30回も培養を繰り返したら10億個になりますから、「この人は陽性です。感染しています」と出るのです。今、それによってとてつもなく多い感染者が出ています。

「無症状感染者」というバカな言葉が出たのは、PCR検査が普及してからです。無症状ですよ。ウイルスが1匹しかいないのに陽性と言われても、症状が出るわけがないじゃないですか。

私は富山県の衛生研究所に電話して聞いたのです。そうしたら、すごいですね、ウイルス部につながって、親切にいろんなことを話してくれました。培養回数は45回とのことで、現場の人間はＰＣＲ検査の弱点はわかっていると言っていました。

「インフルエンザは綿棒を鼻に突っ込んで、５分か10分待ったらすぐにわかりますよね。それとも同じようなコロナ検査キットはないんですか」と訊《き》いたら、「あります。国産の良いのがあります」という返事。

「なぜ、それを使わないんですか」と言ったら、「使えません。厚労省からＰＣＲにしろと言われていますから」と県の衛生研究所が言いました。そういう状態なんですよ。

今もしインフルエンザにＰＣＲ検査を使ったら、大変なことになると思いませんか。現在の状況は、それをコロナでやっているんです。問題の核心はＰＣＲなんです。

そのＰＣＲを、武漢で早い段階から使ってきた。だから最初からこれは計画されていたんじゃないかと思うんです。コロナ自体はおそらく弱毒だと私は思います。

ＰＣＲ検査を使ったことがここまでのパンデミックを演出したんですけれども、最初、武漢で使って、ＷＨＯの事務局長テドロスが「ＰＣＲを使って感染者をあぶり出しましょう。皆さん、ＰＣＲを使いましょう」と言ったのです。ＷＨＯの事務局長は全部医師免許を持っていたのですが、この人は持っていない初めての事務局長です。そして、中国のおかげで事務局長になっているんです。それは皆さん、たぶんご存じだと思います。そういうわけで、今のパンデミックがあると私は考えています。

外国のワクチン製造メーカーは何が起きても免責

このパンデミックのおかげで、今どういう状態になっているか。

国民に外出してはいけないと政府が言ったために、世界中で経済が停滞しています。早くコロナを終束させて経済を何とか復興するためにも、ワクチンを打ちましょうとやっています。結局、コロナパンデミック捏造の目的はそこに行き着くのです。

ビル・ゲイツがワクチンを推奨していて、子どもにワクチンを打ちましょうと、とてつもないカネを使っているんです。ところがそのワクチンが曲者なんです。

今までのワクチンは、ウイルスを弱めてそれを使うとか、死んだウイルスを使うとか、そういうものでした。つくるときに卵を使って培養して、どうのこうのと、いろいろ時間がかかりました。

今、コロナワクチンの製造会社は、ファイザー、モデルナ、アストラゼネカなどがありますが、人工的につくったものを使います。すぐ大量にできるので、従来よりも便利らしいのです。ファイザーとモデルナはｍＲＮＡワクチン、アストラゼネカはウイルスベクターワクチンです。この2種類は基本的には同じです。ただ、人間の体内に入っていくときに容器が違うだけです。

アストラゼネカのワクチンは、コロナウイルスのヤバい部分、人間にとりつくスパイクたんぱくの遺伝子を違うウイルスに入れて、そのウイルス全体を人間の体内に入れようというものです。

ＰＥＧ10という言葉をご存じですか。時間があるときに検索してみると、いろいろな情報が出てくるはずです。

生物の進化においては、恐竜のような卵生と人間のような胎生で違いがあります。卵生で子孫をふやす動物は、自分が卵を産んで温めるときに敵が巣に来たら、親は逃げます。卵は食べられてしまいます。せっかく産んだ卵が全部ダメになってしまう。ところが、胎生の場合はおなかに子どもがいるので、一緒に逃げられる。だから、胎生のほうが子孫繁栄にはプラスです。

生物を胎生にする遺伝子がＰＥＧ10という配列らしいのです。そのＰＥＧ10は、ウイルス由来らしい。これを発表したのは日本の学者です。海外の学会で発表したときには、シーンと静まり返ったらしいです。それはＮＨＫでもやっていて、私は見ました。

どんな人でも、体の表面にも中にもたくさんのウイルスを持っていて、共存しています。ウイルスは生物の進化にも影響を与えてきました。とくに胎生に変えたＰＥＧ10という遺伝子配列は、とてつもなく重要だと思うのです。ウイルスはそういう働きもしているのです。

アストラゼネカのワクチンは、ウイルスを人間の体内にぶち込むのです。それが人間のＤＮＡに影響を与えて、何かを起こす可能性はゼロではありません。ＰＥＧ10で見られるように、何が起きるかわかりません。まず直接的には、長期的かもしれないけれども遺伝子を変えてしまう。短期的な話では、人間の抗体に何かいたずらするだろうということは言われています。皆さんは自然抗体を持っています。ワクチンでつくる抗体よりも自然抗体のほうが強いと言われていますから、弱い抗体をつくるためにワクチンで、自分の自然抗体をグチャグチャにするのは、あまり割の合う話ではないと思うのです。

ウイルスをぶち込むというやり方では、中国の最初の特許ワクチンはヒト・アデノウイルス5型を、ロシアのスプートニクV（5でなくて、ビクトリーのV）はヒト・アデノウイルスを、アストラゼネカはチンパンジー由来のアデノウイルスを、ジョンソン・エンド・ジョンソンはヒト・アデノウイルスを、メルクは麻疹《はしか》のウイルスを使っているそうです。

アデノウイルスというのは、チンパンジーとかサルに風邪に似た症状を起こすらしいのですが、人間にはあまり害を起こさないらしいのです。それでアデノウイルスがよく使われています。

日本でも、東京に本社を置くＩＤファーマという会社がセンダイウイルス（Ｓe

Ｖ）というものを使ってつくっているんですけれども、さすがに日本の会社だなと思うことがあるので、ＩＤファーマのホームページに書いてあったことを引用します。

細胞に遺伝子を導入し発現させるという目的で開発されたベクターや、プラスミドなどの遺伝子導入方法は、細胞の核にＤＮＡを送り込み遺伝子発現を行わせるものがほとんどでした。この場合、ホストの細胞核内の染色体に入り込むことが必須または高い可能性があります。これにより染色体に傷（改変）をつけ、ホスト細胞に何らかの影響を与える可能性が出てきます。事実、レトロウイルスベクターでは極めて稀ですが、染色体に入り込んだ影響と考えられる「がんの発症（白血病の発症）」となって現れたケースもあり、注意が必要といわれています。またアデノ随伴ウイルスベクターやアデノウイルスベクターも、限定的でありますが染色体に組込まれるケースが報告されており、同様の注意が必要です。

これは現実にＩＤファーマという会社のホームページに書いてあることなんです。

つまり、この会社は、ウイルス全体を人間の体内にぶち込んだときに何が起きるかを認識しているのです。この会社が使っているセンダイウイルスは、彼らに言わせると、そういうおそれがないと言うのです。私はその辺はよくわからないのですけれども、調べてみられたらいいと思います。彼らの言っていることを読んでみましょう。

当社のSeVベクターは、細胞核の中に入らず、細胞質内で自らのRNAゲノムを複製し、転写され、大量のタンパク質を作ります。細胞核内に入らないため、ベクターが核内の染色体を改変するリスクは原理上なく、先述の従来型ベクターが持つ危険性を根本的に回避できるベクターといえます。

これは日本の会社がやっていることです。やっぱり外国とはちょっと違いますね。外国の製薬会社がなぜ安全性にあまり注意を払わないかというと、法的に免責を与えられているからです。何が起こっても、関係ないと言われているのです。年代はちょっと忘れたのですけれども、子どもたちに何かあったときに、裁判沙汰《ざた》があまりにも多いので、製薬会社が米国議会に泣きついたことがあったようです。オーケー、わかった。じゃ、ワクチン１個から75セントずつ集めてそのおカネをためる。裁判所の中にワクチン裁判所みたいなものをつくって、訴訟があった場合、弁護士同士で闘わせるのではなくて、そこがいろいろ審査して、ワクチンが原因だった場合、積み立てられたおカネから補償金を出すという制度にしたのです。これになってから、製薬会社は訴訟費用を全く使わずに済んで助かっています。だから、彼らは安全性をあまり重視しないのです。

スパイクたんぱくを使うｍ《メッセンジャー》ＲＮＡワクチンの危険性

ファイザーとモデルナは、ｍＲＮＡワクチンです。コロナはＲＮＡウイルスで、ＲＮＡはＤＮＡよりも非常にもろいので、そのスパイクたんぱくを化学物質（脂質ナノ粒子）で包んで、それを体内にぶち込むというやり方なのです。

その危険性は、「メルマガ In Deep（カナダのワクチン研究者が「大きな間違い」を認め、スパイクたんぱく質は危険な「毒素」だと語る）」という記事に出ています。これも最近、ことしの6月、7月ぐらいからどんどん出始めたのですが、ファイザーの内部資料が日本からカナダに渡った。日本の厚労省にも骨のある人間がいるんでしょうね。そういう資料をカナダに送ったのです。そうしたら、カナダの医者たちが見て、これは何だとなった。

ファイザーの内部資料によると、さっきコシミズさんがおっしゃっていましたが、スパイクたんぱく質は肝臓、脾臓《ひぞう》、副腎《ふくじん》に蓄積する。卵巣にはほかの部位の6倍の量のワクチンのナノパーティクルが蓄積していたそうです。この事実がわかってきた。皆さんも打ったかもしれないですけれども、これがファイザーとモデルナのワクチンの現状です。こんなアブナイものを小学生にも打とうというのですから、地球規模の人口削減はいよいよ本格的に動き始めたようです。

今どんどん新しいことがわかってきているのです。コロナ発生してから2年もたつと、いろんなことがわかってきます。そうすると、これは何だということになってくる。それが今、現実に起きていることです。
時間が来たようですので、以上にします。（拍手）

【追加事項その一】　武漢での感染爆発に至るまでの経緯

持ち時間の関係で省略したことを書きます。

捏造コロナパンデミックの中心にいるのは、中国です。ウイルス製造から、ばら撒《ま》き、PCR検査の準備、ワクチン製造まで関わっています。

中国が作り出したコロナウイルスは米国の指示で欧米にばら撒かれました。最も早かったと考えられるのはスペインのバルセロナで、2019年3月ごろと思います。ところが4月には消えてしまったので、感染力は弱いと判断された。このままだと2009年の新型インフルの二の舞いになる。そこで考えついたのがPCR検査だと思います。ＰＣＲは誕生したのが１９８３年で、93年には開発者キャリー・マリスにノーベル化学賞が授与されています。この人はアンソニー・ファウチを声高に非難していて、ＰＣＲをコロナの診断に使うと知ったら、絶対に反対したはずです。なぜならその旨の発言をしていますから。ところが２０１９年８月７日、自宅でこの世を去りました。死因は肺炎の合併症。享年74歳。

スペインやイタリアの下水からコロナウイルスが発見されたのは２０１９年12月ですから、11月ごろから広くばら撒かれたと思います。アメリカでは全国規模で広範囲にばら撒かれています。トランプがコロナ問題を重要視しなかったのは、感染力も死亡率も低い弱毒ウイルスと知っていたからではないでしょうか。

中国は２０１９年11月時点では自国内にはばら撒かず、民主化運動が激しくなっていた香港で、封じ込めの目的で２０２０年春ごろに使うつもりだったと思います。12月末に武漢の眼科医がネットで公表したとき中国政府は慌てました。最初は否定したが隠しきれなくなって認めました。武漢での感染の始まりは、武漢ウイルス研究所研究員だと思います。『デイリー・メール』によると誤ってコウモリの血液を浴びた研究員がいたようで、コロナに感染したことを知らずに街を歩き回ったことで感染者は増えてしまった。

そのころには5Gの強烈な電波が武漢をスッポリ包んでいたことで死亡する感染者がバタバタと出たのではないでしょうか。

【追加事項その二】 動物実験では危険性多し

SARS《サーズ》発生を受けて、明確な時期や企業名は不明ですが、mRNAワクチンを使った動物実験が行われました。猫とフェレットが使われたようです。抗体ができたころSARSに感染させました。猫は2年で全匹死亡しました。死因は敗血症と心不全でした。フェレットも全匹死亡しましたが、時期と死因は明確ではありません。

新型コロナ発生後、動物実験を省略して直接人間で抗体の発生率を調べ、ファイザーもモデルナも90%～95%という高い抗体発生率を発表して緊急使用が認められました。彼らは安全性確認のための治験などする気はありません。地球規模の人口削減には危険なワクチンほど有効なのですから。

【追加事項その三】 ワクチン拒否して殺された政治家

先進国は例外なくワクチン接収を推奨していますが、開発途上国の中にはワクチンを拒否した国がありました。タンザニア、ブルンジ、ハイチ、エスワティニ王国、コートジボワールの5つの国は、WHOからのCOVID－19ワクチンの受け入れを拒否しました。拒否後まもなく大統領や首相は帰らぬ人となり、後継者はすぐにワクチンを受け入れています。

〈タンザニア〉ジョン・マグフリ大統領、2021年3月17日、死因は心臓合併症、享年61。

マグフリ大統領は今年2月初めにワクチンの有効性と安全性に疑問を呈して受け入れを拒否し、代替ホメオパシー療法を選ぶと述べ、3月に死亡。

6月15日、タンザニアはCOVAXワクチン配布リストに加わりました（COVAXはコロナウイルスワクチンを共同購入し途上国などに分配する国際的な枠組み）。米国から寄付された100万個以上のジョンソン・エンド・ジョンソンのワクチンを受けて、7月にワクチン接種プログラムを開始。

〈ブルンジ共和国〉 ピエール・ヌクルンジザ大統領、2020年6月8日　心停止、享年55。

2020年5月12日付けのWHOアフリカ本部宛てに「WHOのトップ代表の1人と他の3人の専門家は好ましからざる人物で、ブルンジの領土を離れなければならない」と書簡で忠告。

その1カ月後の2020年6月、大統領は死亡。

新大統領は、2021年7月、ブルンジがCOVAXワクチンを受け入れると発表。

〈ハイチ共和国〉 ジョヴェネル・モイーズ大統領、２０２１年7月7日、暗殺、享年53。

『ガーディアン』紙によると、２０２１年5月には、推定75万６０００回分のワクチンがハイチに到着予定だったが、ハイチ政府は無料支給のアストラゼネカ製ワクチンの受け取りを拒否。

２０２１年7月7日、モイーズ大統領はポルトープランスの自宅で射殺された。公式の話は、朝の早い時間に、２人の米国ハイチ市民と数人のコロンビア人を含む2ダースの傭兵《ようへい》グループが、米国麻薬取締局（ＤＥＡ）の襲撃を装って、スタッフおよびセキュリティを打ち破り、モイーズの別荘を襲撃したと述べた。

大統領暗殺からわずか1週間後の7月14日、ハイチはＣＯＶＡＸプログラムを通じて米国政府から寄付されたＣＯＶＩＤ－19ワクチンの最初の50万回分を受け取った。

〈エスワティニ王国〉 アンブロザ・ドラミニ首相、２０２０年12月13日52歳で死亡、死因不明。

〈コートジボワール〉アマドゥ・ゴン・クリバリ首相、２０２０年7月8日61歳、突然死。そしてゴン・クリバリ前首相の後任のアメッド・バカヨコ首相も、２０２１年3月10日56歳、死因不明。

【追加事項その四】　ＰＣＲ検査廃止される

米国でのＰＣＲ検査は年内に廃止され、その動きは全世界に拡大するのは確実です。

7月19日（月）、『フォーブズ』誌がジョージ・ソロスとビル・ゲイツが共同出資した投資会社が、英国のコロナ検査開発会社モロジック（Ｍｏｌｏｇｉｃ）社を買収したと報じました。モロジック社は診断技術会社で、新型コロナウイルスの10分検査キットを開発。

7月24日（土）、CDCは論争の的となっているPCRテストの緊急使用申請を2021年12月31日に取り下げると宣言。全米の診療所や病院に対し、「新型コロナウイルスおよびインフルエンザウイルスの検出と識別を容易にする」新しいツールの使用を推奨。

このCDCによるPCR使用停止指示の理由は、コロナワクチン接種を促すためです。

インフルエンザ検査用と同じ検査キットを使うことになれば陽性者の数が激減し、コロナパンデミックは終息の方向に向かいます。それからはインフルエンザと同じ扱いになるので経済活動が再開され、旅行も自由にできるようになるでしょう。

ただし、それには条件が一つあります。

ワクチンパスポートまたはワクチン接種証明書の携行です。

提示しないとレストランにも入れず、列車や飛行機にも乗れず、宿泊施設も受け入れてくれません。ワクチン接種者だけが経済活動を再開でき、以前のような自由な日常生活を取り戻せるのです。

【追加事項その五】　日本製不活化ワクチンに期待

２０２１年７月、フランスでワクチンパスポート義務化法案が可決し、８月から施行されました。９月にはイタリアもワクチン証明義務化を決めましたから、全世界に拡大の傾向があり日本に波及するのは時間の問題です。これは個人の人権を認めない全体主義国家のやることですが、パンデミックが来年終了するとワクチンパスポートもしくは接種証明書が生活必需品になるので、仕方なく接種を考える人も出てくると思います。

そういう人に朗報があります。

６月４日付日経によると、熊本市に本社を置くＫＭバイオロジクスは２０２１年６月４日、開発中の新型コロナウイルス用不活化ワクチンについて、２０２２年７月にも厚生労働省に製造販売の承認申請をする方針を明らかにしました。不活化ワクチンはインフルエンザワクチンなどで広く普及している手法で、弱毒化したウイルスを用いるワクチンです。安全性の面でベクターやｍＲＮＡワクチンよりは格段に信用できます。

すでに臨床試験（治験）を始めており、熊本県内の主力拠点で、６カ月で３５００万回分を生産する体制を22年春までに整える方針のようです。

不活化ワクチンが生み出す免疫力は弱いので何度か打つ必要があるかもしれませんが、打つならこのワクチンがよいでしょう。これなら私も打ちます。あと1年の辛抱です。

来年末には自由な日常生活が戻っていると思いますが、今年の1月、ＭＳＮＢＣのインタビューでビル・ゲイツが「コロナの次に、新しいパンデミックが来るからその準備が大切」と言いました。こういう人には庶民の苦しみがわからないのでしょうね。

それにしても、どこまで人口を減らせば気が済むんですかね。

Part 3

捏造テロのアメリカ史とビル・ゲイツ製毒液ワクチン！

飛鳥昭雄

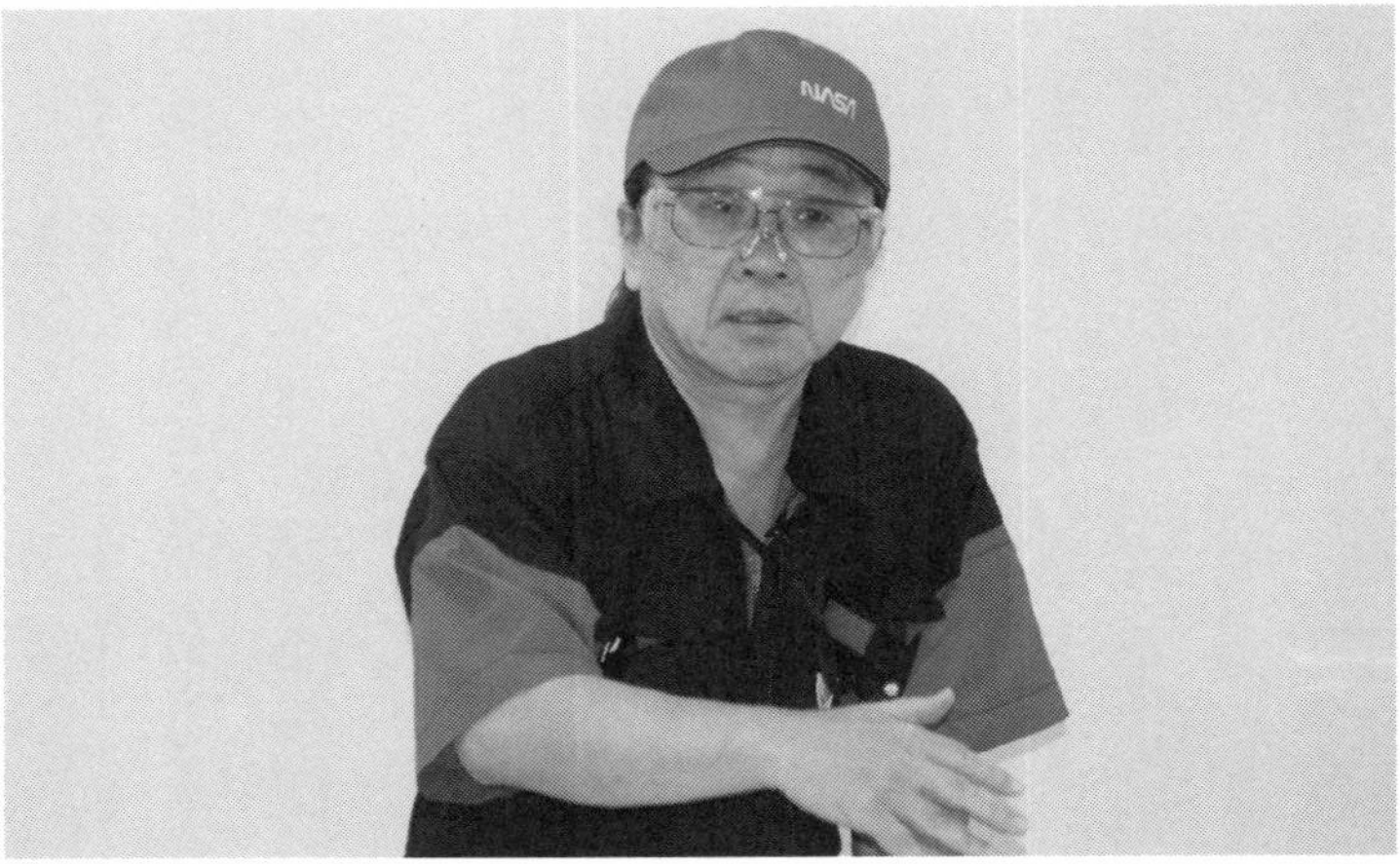

飛鳥昭雄（あすか あきお）

1950（昭和25）年大阪府生まれ。企業にてアニメーション、イラスト＆デザイン業務に携わるかたわら、漫画を描き、1982年漫画家として本格デビューする。

漫画作品として『恐竜の謎・完全解明』（小学館）等、作家として『失われた極東エルサレム「平安京」の謎』（学研プラス）等多数。小説家として、千秋寺京介《せんしゅうじきょうすけ》の名で『怨霊記シリーズ』（徳間書店）等を発表。

現在、サイエンスエンターテイナーとして、TV、ラジオ、ゲームでも活動中。

やはり陰謀論は正しい

私は、サイエンス・エンターテイナーです。難しい科学をエンタメに丸めてわかりやすく説明する科学芸人、かな。エンターテイナーは日本語にすると芸人ですからね。横文字にするとカッコいいですけどね。

既にお2人の先生方が随分ショッキングな内容を話された。私は、それにできるだけかぶらないよう斜めの話をしたいと思います。既にお2人が縦と横をやられましたので、私が斜めをやれば、立体的、3D的に掌握してもらえるのではないかと思います。

そこで今回は、あえて禁断の分野、陰謀論は正しいということを証明します。テレビとかマスコミは、何かというと陰謀論を否定します。まるで世界は清く正しく美しく流れているかのごとく錯覚させるのです。ですが、どんな小さな会社や、ある意味、ご家族の中でも、ちっちゃな陰謀はあります。なかったら教えてほしい。恋人同士でも駆け引きはあります。陰謀論はないということが大ウソだということが、まず前提です。

今、世界を牛耳《ぎゅうじ》っているのは、まるでアメリカに追いついてきつつある中国云々《うんぬん》というようなことになっていますが、この話自体が本当はアメリカの陰謀なのです。やっぱりアメリカです。アメリカの歴史を一から見ると陰謀論だらけだということがわかるのです。これを今からお話ししますと、結果的に9・11とか今のコロナ禍が見えてくる。

有色人種を皆殺し！　マニフェスト・デスティニーの正体

アメリカには使命があります。これは世界の保安官とかそんな意味ではありません。黄色人種や黒人などカラード（有色人種）をいくら虐殺しても構わない。これは「マニフェスト・デスティニー」と言いまして、既に西部開拓時代にアメリカの啓蒙《けいもう》思想として定着しています。「マニフェスト・デスティニー」を西へ、西へとどこまでも持っていく。これがアメリカの崇高なる使命となっているのです。アメリカ人は当たり前のごとく知っていますが、日本人はほとんど知りませんし信じません。

これは、ある意味、暗黒の標語でもあるのです。政治コラムニストだったジョン・オサリバンが1845年にこのことを言い始めるのですが、それが西部開拓と重なりまして、「フロンティアスピリット」というきれいな名称に変わるのです。結局、太平洋まで行き着きまして、1848年にカリフォルニアで金鉱床が見つかってゴールドラッシュになる。「マニフェスト・デスティニー」でアメリカインディアン、ネイティブをほとんど虐殺して、居留地という特定の地域に押し込めた。

これで終わったと思いきや、アメリカはより西へ向かうのです。ハワイを陥れて王朝を潰《つぶ》します。さらにフィリピンで30万人の女・子どもを虐殺しています。

今度は日本という国に対してハル・ノートをぶつけて、パールハーバーをガラ空きにして攻撃させて、日本人をすべて根切りにするはずだった。テニアン島から飛び立

1872年に描かれた「アメリカの進歩」。女神の右手には書物と電信線が抱えられており、合衆国が西部を「文明化」という名の下に征服しようとする様子を象徴している。

インディアン虐殺は白人の正義だったのか。

ったB29が、広島、長崎に原子爆弾を落としました。本当は京都が最初の一発目だった。レスリー・R・グローブス少将は徹底的に京都投下を主張していたけれども、いろいろな都合で広島、長崎になった。テニアンに持っていける原子爆弾は全部で19発あった。アメリカは19発のすべてを日本に落として、日本人のすべてを殺すはずだったのです。本当だよ。だけど、昭和天皇が玉音放送で止めてしまった。結果、日本人を大虐殺できなくなった。

この後、アメリカはベトナム人を大量虐殺するためにトンキン湾事件を捏造《ねつぞう》するんだ。結果としてベトナム戦争でベトナム人５００万人が殺されたんだよ。

それでもまだまだアメリカはカラードの大虐殺を諦《あきら》めない。9・11の報復で、この後、イラク人、アフガン人等を含めて１００万人を殺しているんだ。

それでもまだ飽き足らない。今度は中国人14億人をコロナワクチンですべて殺そうとしている。

いいですか赤ん坊や幼児が感染しても死なない「ＣＯＶＩＤ－19」じゃないですよ、ビル・ゲイツが開発したゲノムウイルスの母型（鋳型）で創るゲノムワクチンに含まれる「プリオンたんぱく質（変異型）」で狂牛病を誘発させて脳を溶かし、磁気反応する「酸化グラフェン」でくも膜下出血や心臓麻痺《まひ》を起こさせ、軍事衛星からの強力な5G照射で即死させます。

自作自演、被害者のフリをして戦争を始めるアメリカ

まだまだアメリカは飽き足らない。最終ゴールはエルサレムなんだ。アメリカ人は本気だよ。有色人種は全部殺す。残っている黒人種も奴隷として残す以外は全部殺されます。

その手口は、アメリカの正義は必ず敵に先制攻撃させること。南北戦争の頃からそうなんだよ。それまでは南部と北部はイギリスという共通の敵があった。1776年7月4日に独立して、共通の敵がいなくなってしまった。当時、金はほとんどスペイン人に略奪されてしまった。アメリカは植民地獲得レースに大分遅れたばかりか、そ

んなに力がなかった。北部は軽工業が中心だった。南部は農業と綿花で豊かだった。黒人が奴隷だからものすごい収益を上げていて、アメリカの北部と南部でバランスがすごく悪くなった。

北部の第13代ミラード・フィルモアという大統領が一計を案じた。いずれ必ず南北戦争をやる。でも、資金が足らない。経済の格差があまりにも大きすぎる。そこで、ある国にターゲットを絞る。日本だ。ペリーを送るんだよ。最初は捕鯨の中継基地だとか、貿易相手だというようなやんわりしたムードで、実際は砲艦外交で脅しているんだ。

まず、日米和親条約を結ぶ。アメリカが使う手口は、その当時の万国公法、国際条約だ。決め事を使って合法的に搾取する。それで結ばれたのが1858年の日米修好通商条約だ。これは不平等条約として知られている。レート差を悪用して、日本の金《きん》をまるでパイプラインで吸い込むように吸い尽くす。これで徳川は一気に衰退する。日本は超インフレ状態になって、コメ騒動も日本中で起こる。

アメリカはそれで得た莫大《ばくだい》な日本の黄金を使って、その3年後の1861年に南北戦争を始める。北軍有利で、この後、何と1865年まで戦争を続けられる資金を得た。かわりに日本はボロボロだ。

リンカーン大統領は奴隷解放の父で、聖人君主と思ったら大間違いです。南部を倒すには、まず黒人奴隷という、ある意味、エネルギー源を断ってしまえばいいわけだ。南北戦争をやったときもそうなんだけれども、北軍は先に南軍に手を出させている。

サウスカロライナ州のチャールストンに、たった80人しかいない北軍のサムター要《よう》塞《さい》と、もう一方、500人もいる南軍のムールトリー要塞が川を挟んで対峙《たいじ》していた。リンカーンは、何の戦略的価値もない小さいサムター要塞に砲弾と食料を送ると言って聞かない。その当時の閣僚7人中5人まで、「こんなところで摩擦が起こって、戦争になったらどうするんだ」と反対している。リンカーンは「構わない」と言って船を送る。

船に対して南軍のほうが威嚇して、船は逃げてしまう。この後、サムター要塞はギブアップして、南軍は当然ながら彼らを捕らえずに解放する。このときに北軍のアメリカ合衆国の旗に対して礼砲を撃つんだけれども、50発のうちの1発の大砲が爆発する。これを見逃さないで、リンカーンは南軍が攻撃したと判断。そのときの旗が北軍の錦《にしき》の御旗《みはた》にされ、実際に要塞《ようさい》を防衛していたロバート・アンダーソン少佐は、勝手に自分たちの旗をリンカーンが戦争のために利用することに不満だった。そう日記にも書いてある。

要は、先に手を出させて火をつける。この手口を最初にやったのはリンカーンだ。これからアメリカの手口が始まっていく。日本のパールハーバーもそうだ。

これからが大変なんだよ。これでアメリカは南北が統一された。これから西へ向かい、徹底的にカラードを殺しまくるんだ。

その前に、まずスペイン。アメリカは植民地政策でははるかに出遅れていたのは話した通り。では、スペインから奪ってしまえばいいじゃないか。当時、アメリカの一番近くのスペインの植民地がキューバだった。これを取ってしまえばいい。実際ネブラスカ州のジョン・サーストンという上院議員は、「スペインとアメリカが開戦すれば、アメリカの鉄道ビジネスの収入が拡大、アメリカ中の工場が活性化、アメリカの全産業と国内通商すべての流通が拡大する」という演説までしている。

1898年2月15日、スペインの植民地だったキューバにアメリカの装甲巡洋艦メイン号が向かって、ハバナ湾に停泊する。すると突然なんの前触れもなく夜に大爆発するんだ。日本人のコックも含めて266人が死亡するんだけど、何と艦長と高級士官たちだけは無事なんだ。スペイン野郎、よくもやりやがったなということで、スペインに対して開戦する。そしてスペインからキューバを奪い、プエルトリコを奪い、おまけに太平洋を越えたフィリピンまで全部スペインから略奪したんだ。

地政学的に言うと、アメリカの物資はキューバにすぐ着く。が、スペインは大西洋を挟んで遠く、フィリピンに至っては太平洋の西端にある。どう見ても地政学的にスペインは負けなんだ。アメリカという国は、そこを知ってわざと自作自演で被害国となり、悪を倒す名目で正義の戦争をやるんだ。これはもう立派な陰謀でしょう。やられたからやり返す。正義の騎兵隊がラッパを吹きながら悪を倒しにやってくるんだ。

当時スペインは、アメリカと対立するヒスパニック系メキシコ人を生み出した国で、「マニフェスト・デスティニー」を正当化できたことになる!!

湾岸戦争では証言まで捏造した

ベトナム戦争は1964年8月のある出来事を切っ掛けに勃発《ぼっぱつ》する。北ベトナム沖のトンキン湾で、アメリカの駆逐艦マドックスに対して北ベトナムの哨戒艇《しょうかいてい》から2発の魚雷が発射されたのである。駆逐艦マドックスはうまく逃げたが、アメリカはこれでベトナム戦争を起こすわけだ。最終的にベトナム人が1000万人死ぬんだよ。ところが、後でこれは自作自演だったことがバレる。アメリカという国はそういう国なんだよ。

とくに有色人種に関しては全部殺しても構わない。なぜならアメリカは神が許す唯一の国だから。「マニフェスト・デスティニー」は神の前では何でも赦《ゆる》される免罪符なんだ。どこかで聞いたな。ワクチンを開発する製薬会社はすべての責任から免責される。これはアメリカの常套《じょうとう》手段であり手口だ。

今度は1990年8月の湾岸危機だ。イラクとクウェートは隣接している。石油の油田は地下だから、国境沿いでクウェートがどんどん吸い上げていたわけだ。イラクはちょっと待ってくれ、それはおかしいだろうという戦争だった。ちょうど日本の沖縄から向こうの「尖閣沖油田」「東シナ海ガス田」を中国が勝手に吸い上げている。あれと全く同じだ。だから、誰も当時のフセインを責めることはできない。

それでもフセインは念のためにアメリカに、「クウェートはあまりにもひどいから、やっちゃっていいですか?」と聞く。本格的戦争というより威圧行動だ。それでも実際に戦車がずらっと並んだ。そのときのアメリカの駐イラク特命全権大使はエイプリル・グラスピーという女性で、フセインに対して「アメリカはこの問題に興味がない!!」と言った。「わかりました」とフセインが攻撃を開始したら、手のひらを返して、よくも攻撃しやがったなとアメリカがイラクに吹っかける。アメリカはそういう国なんだよ。とくに有色人種は全部殺しても構わないと思っているから。最終的に、アメリカにいる有色人種も全部殺すよ。

この「湾岸危機」で有名なナイラ証言というのがある。15歳の少女が、イラク兵がクウェートの病院を襲って新生児を殺していったことをいろんなところで証言した。アメリカでもニュースで全米に流れた。でも、ナイラという少女はアメリカから出たことがなく、何とクウェートの駐米大使の娘だった。これは誰が見ても陰謀だろう。マスメディアも当時のホワイトハウスと一緒になって陰謀を推し進めていった。

他にも油まみれの水鳥事件がある。みんな覚えているかどうか知らないが、このニュースは結構世界中で頻繁に流された。イラクがペルシャ湾に原油を垂れ流しているとして、油まみれの水鳥の映像がフセイン憎しで流されたんだが、これはアメリカ軍の誘導爆弾がゲティ・オイル・カンパニーの原油貯蔵地を攻撃した後に油が流れた映像なんだ。

他にジェシカ・リンチ事件というのもある。これは逃げるときにアメリカ軍の軍用車同士が衝突しただけなんだけど、いかにもイラクが攻撃してきたということでアメリカ政府が盛り上げ、この女性兵士を助ける映像が全米に流されたのである。救出部隊が突入するところをちゃんと撮影していたことになる。後に『ニューヨークタイムズ』とかで彼女がトップ記事扱いされる。あまりにもひどいので彼女は良心の呵責《かしゃく》にたえかね、あれは全部ウソですと言った。むしろイラク兵は紳士的に扱ってくれて、医者も私を助けてくれたと証言している。だけど、イラクは野蛮な国だ、やっちまえ！ というのに使われた。これはまさにアメリカの陰謀だ。

2003年のイラク戦争は、サダム・フセインがアメリカの横暴に対し、せめて自分たちの石油はドル建てからユーロ建てに変えると言ったことが切っ掛けで起きた。そうしたらアメリカが殺しに来るんだよ。それも9・11の延長線だ。詳しいことは先ほど先生方がおっしゃったからあまり言わないけれども、あれは120%アメリカの自作自演なんだ。当たり前だ。アメリカはそれが手口だから、まさにアメリカの陰謀論だ。

ワクチン＝ビル・ゲイツ製ゲノム毒液

アルカイダとフセインの関係が深いからと言うが、実はスンニ派のフセインはイスラム原理主義のアルカイダと仲が悪かったんだ。大量破壊兵器を持っているというCIAの情報は結果的にウソだった。当時の有志連合は踊らされてイラクに攻め込んでいったわけだ。フランスや中国の国連安保理は反対したんだよ。当然そうだろう。ある意味、ヨーロッパだって善人ではないんだ。ユーロ建てにしてくれると儲《もう》かるわけだから。それはそれとして問題は、有志連合の中に日本が、小泉純一郎首相が入っているんだ。これはまた別の話だからおいておくけれども、結果的にサダム・フセインが極悪人として見つかり、2006年12月に処刑されてしまうわけです。

同じようにリビアのカダフィ大佐は、アメリカが我が物顔でアフリカに押し寄せアメリカイズムを押し付けてくるためアフリカだけの連合体で通信衛星を打ち上げ、通信ライン、通貨もアフリカだけで通用するものを使おうと提案した。そうしたら案の定カダフィ大佐を殺しに来た。そのやり方がえげつない。まず、チュニジアでアメリカ式民主化運動「アラブの春」をCIAが起こしてリビアやエジプトの政権をひっくり返し、シリアも引っ繰り返そうとした。アメリカに従っていた筈《はず》のエジプトのムバラク政権まで全部やられた。今はシリアとサウジアラビアで止まってしまっている。

いかにもアメリカの正義、自由。キリスト教から考えてイスラムが自由を謳歌《おうか》できるわけないんだ。120%無理ですよ。だって、イスラム教は欧米式自由とは全然違うんだ。映画「アラビアのロレンス」を見たらわかるけれども、彼らが最後に議会の中で族長制度、土地の境界線、水争い、部族争い、宗派を持ち出して結局ダメだったでしょう。イスラムでもムハンマドの血統重視のシーア派、コーランとハディース（ムハンマドの言行録）重視のスンニー派、さらに原理主義、過激主義とかいろいろあって、結局、統一は無理なんだよ。最終的にどうなるかというと、原理主義に戻るんだ。それが「アラブの春」の仕掛けなんだ。今エジプトは民主主義は自己崩壊し軍隊が支配している。

きれいごとじゃないんだ。日本もウソで作られたコロナ禍の「オオカミ少年効果」で本当にやられるよ。全部ワクチンという名の〝ビル・ゲイツ製ゲノム毒液〟で殺されるから。

2017年、エルサレムをイスラエルの首都に認定し、アメリカ大使館がエルサレムに移転した。これはどうなるかわかる？　いずれ大戦争だよ。全部中東のイスラム教徒を殺してしまう。

そこへ起きつつあるのが中国のデジタル人民元だ。アメリカのドルの基軸体制を人民元のデジタル基軸制に入れかえるということで、ファーウェイも世界5G支配がバレてえらいことになっちゃって、中国人は欧米先進諸国共通の悪者。もちろん、中国人はアメリカの絶対的啓蒙思想「マニフェスト・デスティニー」で駆逐されるべき対象の有色人種です。陰謀論、当たり前だよ。世界の情勢は大昔からバリバリ陰謀論なんです。

イルミナティの世界支配計画はこう進んできた

イルミナティという秘密結社がある。日本でイルミナティと言うと、「セキルバーグ（関暁夫《せきあきお》）が言っているあれね」、「都市伝説でしょう」、「アハハTVでやってた」で終わってしまう。バカなのか。TVは責任を取りたくないので全部「都市伝説」

「オカルトエンタメ」でごまかす送り放しの放送メディアだが、イルミナティは存在するんだよ。

アメリカの歴史の一番最初、ピューリタンが大西洋を越えて東海岸に来るでしょう。あのときに彼らは、イルミナティが入ってこないように一致団結していたんだよ。自分たちを宗教戦争で殺したカトリックとイルミナティだけは、絶対にアメリカに入れてはいけないと主張していたんだ。これはアメリカの歴史的事実だけど、日本人はテレビで、吉本芸人のネタでせせら笑うんだ。「イルミナティもフリーメイソンもエンタメじゃん」、「信じる、信じないはあなたしだい」、「カッカカッ」と言って、コロナワクチンを打ちに行くわけだ。

これにはちゃんと計画があった。第1段階、20世紀初頭、イルミナティはアメリカ国立銀行に準じる連邦準備銀行を設立、その大株主になる。イルミナティの正体は今や世界の金融を支配するロスチャイルドだ。

第2段階、1914年から45年、第1次世界大戦、第2次世界大戦の二つの戦争をアメリカが終わらせた。事実でしょう。その信用で、アメリカに置いておいたら安全だということで世界中の金《きん》がアメリカに入ってくる。ところが今、実はアメリカには世界中から預かった金はほとんどないんだよ。9・11でペンタゴンにミサイルがぶつかったところは、アメリカの金がどれだけないかを証明する書類があった場所だ。それが全部吹き飛んだ。それも国務長官が調査すると約束した前日にやられた。この辺のことを言えば切りがないけど、アメリカも世界も陰謀だらけでオカルトエンタメじゃないんだよ。

次に第3段階、第2次世界大戦後、連邦準備銀行が発行するドルを、金と交換可能な兌換紙幣《だかんしへい》として国際通貨の地位を確立させる。これで世界をドルが支配するわけだ。ロックフェラーは、大統領にならなくて済んだ、幾らでもドルを刷れるからだ、と笑った逸話がある。言っておきますけど、経済ニュースでよく出てくるアメリカの「FRB／連邦準備制度理事会」はロックフェラー所有の民間組織だからね。

第4段階、第2次世界大戦後から10年、ロックフェラーが設立したスタンダード石油及びその系列会社7社が、ミネラルウォーターより安いガソリンを供給する。そのかわり、税金を1セントも払わなかった。その税金を取ろうとしたJ・F・ケネディが暗殺されたわけだ。もう陰謀だらけ。陰謀論なんかウソだと信じているのは、どこのどいつだ！　世界のエネルギーを石炭から石油へ転換させ、それと並行して、石油取引の通貨としてドルの国際通貨の地位をより確立する。

第5段階、1973年、FRBがドルを印刷しまくって、世界中の富をイルミナティに回収させる。これはロスチャイルドのことです。ドルを保有する国から、アメリカは保有する金以上にドルを発行している疑いがあった。そのタイミングで金への交換を停止。

アメリカという国はちゃんと計画どおりに進めていくんです。動かしているのはイルミナティ、ロスチャイルドとロックフェラー。ロスチャイルドは大西洋を支配し、ロックフェラーは太平洋を支配している。中国がアメリカに太平洋の西半分をくれと言っても、くれるわけがない。今、そのイルミナティと対立しようとしている国は、史上最大の共産主義国家の中国と、帝政ロシア復活を企てるプーチンのロシアだけなんだよ。どいつもこいつも悪党だけど。

ロックフェラーはロスチャイルドの傍系

先ほど言ったアメリカの歴史を、もうちょっとわかりやすく説明します。ロスチャイルドとロックフェラーの関係を言わないとわからない。これがわかると、今回のコロナ騒動の仕組みがわかる。何で世界中が一斉にこういう動きになったのか。既に世界政府は存在しているということだ。国家はもうない。元首もいない。

イルミナティとロスチャイルド、ベニスの商人ともいえる彼らはアシュケナジー系ユダヤということで、セム系のスファラディとは違う。ロスチャイルドは、ドイツ系と言われるロックフェラーを移民大国のアメリカに送り込む。ロックフェラーは自分たちをドイツ系ホワイト・アングロサクソン・プロテスタント（WASP）と言っている。すなわち、アングロサクソンであり、クリスチャンだと言っているわけだ。これは実は大ウソなんだ。

ジャーナリストで歴史家のゲイリー・アレンが徹底的に調べた。すると、ロスチャイルドの当主が、「ロックフェラーはロスチャイルドの傍系に当たる。親戚《しんせき》だ」と言っていると暴露した。つまり、いわゆるアシュケナジー系ユダヤ人である。ロックフェラーはもとはスペインにいたアシュケナジー系ユダヤで、15世紀に土地を領有していたが、1492年にスペインの国王がユダヤ人追放令を出すんだ。これでトルコに逃げたんだ。ジェラルド・R・フォード大統領の副大統領で、当時ニューヨーク市長だったネルソン・A・ロックフェラーの祖父が、今言ったことを認めている。本も出ています。

その後、一族はトルコからフランスへ逃れ、キリスト教のほうが世界的に商売に向くということで、とりあえずプロテスタントに改宗する。フランスでは「ロクフイユ」と名乗り、ドイツでは「ロッケンフェルト」から「ロッケンフェラー」と名乗り、アメリカでは「ロックフェラー」と名乗って、自分の素性をロンダリングしていったんだ。もうわからない。

19世紀、ドイツから新大陸に入ったジョン・D・ロックフェラーの事業資金をロスチャイルドがヨーロッパから全面的に工面。莫大なカネをどんどん送り続けた。結果、石油王にのし上がった。そして、アメリカの中央銀行ＦＲＢを牛耳るまでになって、ウォール街まで裏で支配するようになった。これで旧大陸と新大陸と両方、ロスチャイルドがトップとして君臨することになった。これは「リッチスタン」という表現でもいいと思う。超大金持ちだけの仮想国で、地上にないんだよ。あえて言うなら上に浮かんでいる。よくあるでしょう。三角形のピラミッドで土台から上に浮かんでいる図。ある意味あれが彼らの世界だ。地上はただのゲスたちがいる世界、奴隷の世界だ。だから、何億人を殺しても構わない。

世界人口を5億まで減らす計画

ただ、５億まで減らすという説もある。すると、わずかな人数で支配できるから。それなら、工業とかどうするの。別に構わない。ＡＩができたから。主要部分は全部

ＡＩとロボットがやってくれるから、人間なんて要らないというわけです。だから膨大な数の不要な人間はワクチンで皆殺しなんです。その先兵がビル・ゲイツだ。

僕はビル・ゲイツのことを1分間ちょっとの音声だけの宣伝動画をYouTubeに出しただけで、速攻で消されました。動画も配信していないんですよ。音声だけです。ＷＨＯの方針に違反しているとか、わけのわからないことを言ってきた。YouTubeはＧＡＦＡ（Ｇ＝グーグル、Ａ＝アップル、Ｆ＝フェイスブック、Ａ＝アマゾン）の中の一つのグーグルと関係していますから、既にグーグルもアマゾンも含めて、国に所属しているようでしていないんですよ。税金だってほとんど払っていない。彼らのグローバル企業という名前は美しいけれども、実は国境を越えて、彼らの頭の中には、もう国なんて不要で存在してもいないのではないか。

だから、世界政府は既にできているんだよ。あと、本丸がいつ出てくるか。そして２０２０年にロスチャイルドが出てきたんだよ。これは皆さんが考える以上に大変なことなんだ。

国際金融というか現代の国際資本主義の構造を言います。スイスは永世中立国で世界中のどの国からも攻撃を受けない。だから、ロスチャイルドはそこを国際金融の拠点にしている。そこに何があるか。世界最大の銀行ＢＩＳ（国際決済銀行）、これに勝る銀行はない。ここを押さえている。その下にあるのがＩＭＦ（国際通貨基金）、そして世界銀行もそうだ。さらにその下にあるのが中央銀行、その下にあるのが日本にあるような銀行だ。すでに世界中に資本主義がきわまっている。血液はカネ、資本、資産、そして金融だ。これをすべて押さえているのがロスチャイルドということだ。

ロスチャイルドが、イギリス、フランスに「おまえの国の、資金の流れを止めるぞ」と言えるようになった。これは大変な事態なんだよ。国が1日で消え去るんだ。マクロンもメルケルも、みんな言うことを聞きますよ。逆らえないんだ。なぜならロックフェラーは、アメリカの軍、ＮＳＡ（アメリカ国家安全保障局）、ＣＩＡを全部押さえていますから、逆らえばアメリカ軍が攻め込んでくる。

日本なんてチョロイ。アメリカの傀儡《かいらい》の自民党などは全部言うことを聞きますよ。ロスチャイルドが本気でやって来たら、一斉に服従する事態が起こるわけ。すでに国境を越えているだろう。用意ドンで、何でみんな言うことを聞いたのかこれでわかる。

そうでないと今のような事態は理解できない、おかしいと思わない？

本気なんだよ。ロスチャイルドとロックフェラーは世界人口を5億人にまで減らすつもりだ。イルミナティ以外はすべて邪魔だから。連中の理論で言うと、2030年までに二酸化炭素を減らさないと地球温暖化がおさまらないから、みんな殺せということだ。必要な奴隷だけ残ればいい。今、その途上なんだよ。

元首も、大統領も、首相も、大臣クラスも、あらゆる医療施設も国際資本主義体制と国際金融の王に全部従いますよ。だって、患者にあなたはコロナと言うだけで莫大なカネがもらえるんだもの。最終的には、それはロスチャイルドから来るカネだ。医者も「これはコロナの仕業です」「ワクチンを打たないとパンデミックは終わりません」「経済復興の鍵はワクチン接種です」と言うだけでカネが入るから病院が潤うんだ。

国際資本主義体制の中で、一番トップはアメリカじゃないんです。ロスチャイルドとロックフェラーなんだ。これを称してイルミナティと呼ぶんだよ。セキルバーグの都市伝説にだまされてはいけない。

コロナワクチンを打ったら狂牛病になる

ワクチンを打ったら、基本的にはほぼ全員狂牛病になります。

これはクロイツフェルト・ヤコブ病（ＣＪＤ）といって、脳が溶けるんだから大変なんだよ。ゲノムワクチンのＲＮＡは５カ月で消えるけど、プリオンたんぱく質といって、ＲＮＡの鞘《さや》を形成するたんぱく質は残るんだ。

狂牛病の当時、まるで石ころが急にしゃべり始めたようなショックが医学界に走ったのがコレだ。ただのたんぱく質が自分で分裂してふえていくんだ。ウイルスでもバクテリアでもない。たんぱく質が自己生産してふえていく。何、これ、ホラー？　それほどのショックだった。

ゲノム操作で生まれたワクチンという名の溶液は、そのプリオンたんぱく質がＲＮＡの鞘になって、これがいつまでも体内に残り続ける。さらなる問題は、これが分裂する際に、形が変わるんだ。形が変わったら最後、狂牛病と同じシステムになってくる。ヒトの体内でプリオンたんぱく質がたくさんあるのは脳と脊髄《せきずい》なんだ。だから中枢神経まで順番に溶かしていくんだよ。

イルミナティは自分たちに邪魔な世界中の人間にこれを打たせて、ゴミを焼くように生きる価値のない人間を全部殺してしまう。ゲノムワクチンを打てば1年半で死にます。早ければ、２０２１年の秋の終わりから冬にかけてバタバタと死んでいくと言われている。それまでにとにかく打たそうというのが自民党の方針。

イルミナティの最大のターゲットは実は日本人なんだよ。だから、既にビル・ゲイツは軽井沢に巨大な地下施設と要塞《ようさい》を兼ねた別荘までつくった。日本人が全部いなくなった後の準備を着々とやっているんだ。

金鉱床列島日本を狙うアメリカ

日本人を全部殺してしまえばどうなると思う？　日本は実は最大の金鉱床列島なんだ。今も地下では金ができている。世界でたった1カ所なんだよこんな場所。あらゆるプレートが潜り込んで衝突しているのが日本列島なんだ。

伊豆半島はもともと島だったが、衝突して神縄《かんなわ》断層ができるんだけど、あの一帯は全部金鉱床が並んでいる。東日本と西日本側の陸塊が大衝突して盛り上がった日本アルプス一帯は、甲斐《かい》を含めて金山の宝庫です。佐渡島は二つの島がぶつかって、あんないびつな形をしていますが、そのぶつかった一帯は金鉱床です。

いまだに日本は金を生むニワトリなんだ。今、アメリカは金（インゴット）がない。だから日本人を全部ワクチンで殺せ。これが菅と自民党に命ぜられたアメリカ大使館極東ＣＩＡ本部の命令だ。

もちろん有色人種を絶滅させても神が許す「マニフェスト・デスティニー」の啓蒙思想が、アメリカンスピリットを支えている。

菅の後を引き継ぐのが河野太郎ならエライことになるよ。デジタル庁と手を組んで、日本人全員にゲノムワクチンを打つように命令してくる。他の候補者も大同小異で、だから自民党だけは何があっても「衆議院議員総選挙」で票を入れてはいけない。選挙は行かなきゃダメだよ。行って、共産党でも何でもいいから投票する。とにかく自民党を潰さなきゃダメだ。やがて「赤いきつね」も「緑のたぬき」も一緒になって、日本を無茶苦茶にしてくる。

既に経済も何もかもが大混乱しているのだから、大混乱するのはいい。共産党になったら大混乱するな。政治的大混乱は自民党の独裁政権よりはるかにマシだから構わない。むしろ大混乱した方がこの国はちゃんとした人間が出てくるようになっている。大混乱、大歓迎。今は混乱しない日本ほどヤバイんだ。

脳が溶け始めてゾンビが急増か

腐った林檎樽《りんごだる》からは腐った林檎しか出てこない教訓を日本の有権者たちは思い出さなければならない。

では、ビル・ゲイツの「母型」でゲノム編集されたワクチンを打ったらどういうことになるか、具体的に説明しましょう。

まず、脳が溶け始めると当然ですが機能障害の一つのボケ症状が始まる。若い人のほうが急速だ。ワクチン接種カッコいいというノリで打っている連中ほど真っ先にやられます。車を運転すると当たり前のように逆走。赤信号にも突入してくる。止まってくる車にも平気でぶつかってくる。右折、左折むちゃくちゃも当たり前になってくる。既に九州の福岡なんて、交通事故が一気にふえている。既に起こっているんだ。

どす黒く汚れた衣服やほとんどボロボロの半裸で歩き回る脳が溶け始めた人の姿はまるで〝ゾンビ〟で、腹をすかせた彼らを見て気の毒に思い近づく健常者に噛《か》み付いたり、肉を噛みちぎろうものなら大変な事態になる。相手が子供でも指を噛まれたりすると、感染者や接種者の唾液《だえき》、血液、体液が傷口から侵入、「ＢＳＥ／狂牛病」「エイズ／ＨＩＶ」のプリオンたんぱく質感染を起こし健常者も〝ゾンビ化〟する!!

自動車の逆走なんてまだかわいいほうだ。飛行機のパイロットは、まともに離陸ができません。上がってしまえばコンピューターで飛ぶけれども、離着陸だけはどうしようもない。渋谷や大阪や神戸の上にも飛行機が落ちてくる。パイロットが突然死んじゃうんだから当たり前だ。どうするの。

まず、医者が真っ先に死んでいく。看護師も次々にいなくなる。まともな総合病院は存在しません。恐ろしいのは、本来ワクチンを打った人間の血液は献血してはいけないんだけれども、日本はファイザー製ならオーケーになりました。病院に行ったら、輸血や点滴や血小板その他いろいろ含めて、血液中に入っているプリオンたんぱく質が増殖して次々と人に移っていく。手術なんかできないよ。

ボケた人が、冬にストーブをつけているときに灯油を入れたとしたら瞬間に発火だ。消防士、レスキュー隊は既に死ぬか重症化していていませんから、どんな恐ろしい世界になるか。ビル・ゲイツは高笑いしていますよ。彼は「私はノーベル平和賞が欲しい。これだけ世界の余分な人口を減らしたんだから当然でしょう」と言いたいのでしょう。

和製OSが潰されて、ビル・ゲイツのウインドウズが誕生した

ビル・ゲイツをつくったのは実は日本人なんだ。日本は昔、TRON《トロン》という準OSまでつくって、当時ではほぼ完璧《かんぺき》なものだった。ところが、アメリカがスーパー301条で拒否して、見込み発車で不完全なウインドウズを出したんだ。でも、そのおかげで次々にバージョンアップの更新で莫大なカネを儲けた。もしあのとき、日本の通産省がちゃんとやっていれば、ビル・ゲイツだって生まれてこなかった。もともと、TRONはだれでも自由に扱えるシステムで、ネットに流して無料ダウンロードさせる方針だった。

それを世界中に普及させたら、次の段階で日本の家電業界がその基本システムで稼働する家電製品を世界中に販売する方針だったんだ。

だから俺に言わせると日本の通産省のせいだよ。当たり前だよ。あのとき、誰かが

わざとネットにプログラムを流出させていたらMicrosoftは絶対誕生していなかった。だからビル・ゲイツに復讐《ふくしゅう》されているんだ。

聖書預言「目も舌も腐る」

話を戻すと、ゲノムワクチンを接種すると、徐々に狂牛病が進行して視神経をやられますから、やがて目が見えなくなる。パイロットなんかコレで終わりだ。列車事故、当たり前。

その前に性格や精神が異常になってくる。あれだけ温厚だった人が急にスコップを持って暴れ回る。マスクをしていない人が自分の目の前でゴホンとやっただけで、「この野郎!!」と叫んで殺しにくる。「あいつらだけが生き残るのなんか許さねえぞ」と、ワクチンを打っていない人間を殺すグループができ上がる。もう外を歩けませんよ。これがもうすぐ起こるんだよ。恐ろしいですよ。

もっと症状が進んでくると、かすかな音だけでものすごい痙攣《けいれん》が始まります。これは狂牛病（ヤコブ病）の特徴だ。そのうち、間違いなく重篤化が進んでみんな死んでいく。各家々が棺桶《かんおけ》になります。ものすごい腐敗臭が漂うんだよ。誰が掃除するの。市役所の役人はみんな死んで、ほとんどいませんよ。近代的なタワーマンションは、行政が間に合わず遺体回収は不可能で、都心部ほど放置せざるを得なくなり、巨大な墓標群と化します。世界中が腐敗臭でいっぱいになるんだ。これは実は聖書に書いてある。

「肉は足で立っているうちに腐り、目は眼窩《がんか》の中で腐り、舌も口の中で腐る。」
（『旧約聖書』「ゼカリヤ書」第14章12節）

「脳」が溶けるのと並行して起きるのが、脳脊髄を包む「硬膜」の溶解で、その下にある「くも膜」「軟膜」も溶け落ち、「硬膜・くも膜・軟膜」を合わせた「髄膜」が溶ける結果「脳脊髄液」が鼻孔《びこう》からドロドロと出てくる。成長段階の若者の場合「下垂体」も溶けることから成長が完全にストップし、骨の軟骨もなくなることから背丈が縮み始める。

そればかりか肺の間の胸腔《きょうくう》にあり、「T細胞」分化と「免疫系」一次リンパ器官の「胸腺《きょうせん》」も溶け落ち、血圧、血糖、水分・塩分量等の体内環境を調整するホルモン分泌機関の「副腎《ふくじん》」も消滅し、「脊髄」も硬さを失うことで背骨がグニャグニャになり、「眼球」「眼底」も溶けて失明する。

さらに「回腸」が内部から溶けて激しい下痢に襲われ、末梢神経も溶けて骨髄も溶解してドロドロになる。喉《のど》の奥の粘膜でできた「扁桃腺《へんとうせん》」も溶けて咳《せき》が激しくなり、食べ物も飲み下せなくなり、体全体の免疫器官で全身の組織から集まるリンパ液の関所「リンパ節」も溶けてなくなり全免疫系が破壊する。それと連動するリンパ器官でスポンジ状の軟らかい内臓「脾臓《ひぞう》」も消滅、脳に睡眠ホルモン「メラトニン」を分泌する「松果体」も消滅、女性の「胎盤」もドロドロに溶けて性器から出てくる。

女性の方が被害例の多いワクチン

まず、女性たちが真っ先にバタバタ倒れていく。ＣＤＣ（アメリカ疾病予防管理センター）のデータが既に出ている。報告書一覧はむちゃくちゃだぞ。ワクチン副反応80％以上が女性。それはそうだ。子宮をやられるんだから。

もっと言いましょうか。最後は粘膜も全部溶けてくるから、子宮が溶けて女性の陰部から出てきます。今度、鼻にシュッシュッとやるワクチンが出てきますから、それをやったら終わりです。粘膜から全身にうつって、あらゆる粘膜が溶けます。筋肉注射だけじゃない。目も溶けるし、歯も溶ける。眼球が落ちてくる。まず女性から始まる。

これは笑い事じゃないよ。データが全部出ている。何と日本の厚生労働省まで、２０２１年2月17日から5月2日まで、５５６１件中、死亡事故、重篤化、未回復は女性のほうが圧倒的に多いと既に出ています。子どもができないように、女は殺してしまえということなんだ。

ビル・ゲイツは、新生児まで打つよう世界中に命じている。なぜなら私はノーベル平和賞をもらえるだけの価値のある男だからという理屈だ。奥さんは逃げちゃった。ずっと一緒にいたら、責任を取らされてしまう。狂っているよ。なぜならイルミナティが本気で出てきたからだ。ロスチャイルドが本気で世界政府をつくり始めたんだよ。世界中の大方の政治家、自民党の連中も全部、ガースー（菅義偉《すがよしひで》）なんかワクチン注射を打っていませんからね。映像でバレちゃったけれども、あれは針が引っ込む注射器だから、自分たち自民党だけは助かる。日本人が全部死んでもアメリカ様が助けてくれると思っています。「新世界秩序にどうぞ私、ガースーも入れてください。新世界秩序の中に生きられれば最高です。家族だけは助けてください」とね。しかし、彼らはすべて裏切られますからね。必ず殺されます。

カナンの呪《のろ》いは今も続く——ロスチャイルドの正体

なぜなら、アシュケナジー系ユダヤさえ殺されるんだよ。ロスチャイルドの正体はユダヤ人ではない。実はそのことを前の当主自身が言っている。「自分たちの祖先はカナン人《びと》である。ニムロド王の末裔《まつえい》だ」と。ヤマト民族のヨシュアによって殺されかけたカナン人。バベルの塔を築いて、ヤハウエに反抗して、世界中に広がることを阻止したニムロドの末裔だとはっきり言っているんだ。日本人を殺しに来るのは当たり前なんだ。復讐だ。

また、そのときのヨシュアがカナン人を奴隷として助けるんだ。ノアの箱舟《はこぶね》のノアの息子は、お兄ちゃんがヤフェト、次男がセム、三男がハム。お兄ちゃんのヤフェトの奥さんがコーカソイドで白人の祖となる。セムの奥さんがモンゴロイドでセムはモンゴロイド系としてアジアでセム語圏ができ上がる。ハムはネグロイドの奥さんをもらって、黒人の祖となる。

カナンはそのハムの息子だ。これからカナンの歴史が始まるわけだが、実はカナンの父のハムがノアの重要なものを新世界で盗んだので子孫が呪われる羽目に陥る。ヤフェトの奴隷になれと言って、ハムの末裔の黒人がヤフェトの末裔の白人の奴隷になってノアの呪いが成就した。

次にまたノアは要らぬことを言うんだ。セムの奴隷にもなれと言ったんだよ。

「こう言った。『カナンは呪われよ　奴隷の奴隷となり、兄たちに仕えよ。』また言った。『セムの神、主をたたえよ。カナンはセムの奴隷となれ。神がヤフェトの土地を広げ（ヤフェト）セムの天幕に住まわせ　カナンはその奴隷となれ。』」

（『旧約聖書』「創世記」第9章25〜27節）

それで「出エジプト」から大挙して約束の地カナンに押し寄せてきたイスラエル（ヤ・ウマト）に対して、ニムロドの末裔は、「ノアの預言を守れ!!」と言ったんだ。

我々はセムの奴隷になると書いてあるじゃないかと言ってイスラエルの地に潜り込んだ。結果的にカナン人はイスラエルを二つに分断させたり、キリストを殺したり、あらゆる悪行を内側からやる。それでイスラエルは滅亡する。そして日本に流れてきた。だからヤマト、ヘブライ語でヤハウエの民という意味だ。

だから、やつらは、核でも何でもいいから日本人は必ず全部殺せということになる。本当は、これから先に大和《やまと》民族とイルミナティの最終戦争「ハルマゲドン」が起こってくる。その前に第3次世界大戦が起こるのでロシアが動き始める。中国もそうだ。中国は恐らくアメリカに瞬殺されます。というか、世界中のほとんどみんながワクチンで死ぬからね。

最後にもう一度言いますが、打った人たちは1年半で死にます。飛鳥昭雄が言っているのではなく、ファイザーの元副社長Dr.マイケル・イードンがそう証言している。

以上です。

Part 4

3.11、9.11、コロナの茶番劇
——陰謀論じゃない、本当の陰謀だ！

リチャード・コシミズ
菊川征司
飛鳥昭雄

裏社会が計画している富士山の噴火！

コシミズ　3・11東日本大震災の3日ぐらい後かな、静岡県の御殿場や富士宮で大きな地震があったんです。そのときに、地震予知連絡会の会長か何か偉い人が、よく富士山が噴火しなかった、あれが不思議でしようがないと言っているのです。そのくらいヤバかった。

僕は思うんです。3・11は人工地震なんだけど、それだけではダメージがそれほど大きくない。そこにもし富士山の噴火が加わったら、どれほど大きなインパクトがあったか。東京に5センチの灰が降るだけでIT関係は全部潰《つぶ》れてしまいますから、日本経済がダメになる。裏社会の狙《ねら》いは大地震でなくて、本当はそれをやりたかったんじゃないかと思うんです。

飛鳥　神道の観点から言わせてもらうと、ちょうど地震の動きが止まった場所が、茨城県の鹿島《かしま》神宮、千葉県の香取《かとり》神宮の沖合いなんだ。あそこに要石《かなめいし》というのがあって、北緯35度をずっと行くと出雲《いずも》大社まで行く。その間に諏訪《すわ》大社とか全部つながっていって、祇園《ぎおん》祭の八坂《やさか》神社も全部同じ、一直線なんだ。あれは地震を封じているんだ。神道的に言わせてもらえば、そこで止まったというのがあるんです。あれがもしもっと南下していたら、東京湾もただでは済まない。

コシミズ　東京湾も実は危なかったのです。たしか3月12日かな、東京湾の上の非常に低いところに真っ黒な雲が漂ってきて、ちょうど海ほたる（東京湾アクアラインのパーキングエリア）の上に真っ黒い雨が降ったのです。それが川崎方面にぐっと移動していった。海ほたるはもともとアメリカの建設会社ベクテルがつくっているんでしょう。そのベクテルが穴を掘って、あの辺の海底でボンボンやって人工地震を起こそうとした。ところが、東京湾の地質はむちゃくちゃ粘土質だ。だから、揺らしてもボヨヨヨーンで、（笑）大ごとにならなかったという意見もある。

飛鳥　関東ローム層のおかげだ。

コシミズ　私ら実況中継で見ていて、川崎の仲間が写真を撮って送ってきたり、あのときは本当に怖かった。全く同じ緯度経度で地震が連発で起きたんです。

飛鳥　あの地震の前の日本列島は、西に引っ張られていた。あの地震直後、今度は東へ引っ張られて、千葉県沖はスロースリップでどんどん引っ張られている。いつかプチンと切れるだろうと言われている。地震学、火山学は、あの3・11後、ガラッと変わってしまった。富士山もただで済まなくなっている。

コシミズ　今怖いのは富士山と浅間山《あさまやま》。影響からいったら浅間のほうが大きいかもしれない。ただ、世界中の人は、富士山が噴火したというと、「オーマイガー！」となる。何しろマウントフジは誰でも知っているから、ああ、これで日本経済はダメだというイメージをね。

飛鳥　アメリカ人は、日本といえば富士山でしょう。いまだにゲイシャとか言っています？

菊川　確かにそうですね。でも、若い人は違うでしょうけど。

コシミズ　私が本当に怖かったのは、今度のオリンピックに合わせて何か別のテロを仕掛けてくるんじゃないかという心配があった。それが火山の噴火だったり、地震だったりするんじゃないかなと思っていた。

アメリカの人工衛星が線状降水帯を引き起こしている

飛鳥　神道的に言わしてもらえれば、いまだにそうだけれども、前線が上がったり下がったりしながら、北海道から沖縄まで全部雨で清めているでしょう。これは聖火リレーという非常にあくどいもので列島が汚れちゃっているんだ。本当だよ。あれは本来やっちゃいけなかった。それを菅首相が無理やりやっちゃったでしょう。

小泉進次郎がなぜ泣いたかといったら、彼は帰化しているけど、もともと在日系です。これから首を斬《き》るときに、まず刀に水をキラッとかけるんだよ。これから来るぞ。コロナで死んだほうがまだ……。いや、一撃で死ぬか、じわじわ死ぬかの選択だ。というのが起こってもおかしくないというのが実際の話。

コシミズ　お天気の話で、どうにも解せないのが線状降水帯だ。あれは誰か人工的につくっているとしか思えない。だって、前はそんなものはなかったでしょう。気象学をいくら調べたって、そんなものは１９８０年代までには全く登場していない。突然出てきたってどういうことですか。おかしいでしょう。

それで考えたのは、１９８０年代ぐらいまでにアメリカのＮＡＳＡがでかい人工衛星をいっぱい打ち上げて、宇宙空間で太陽光発電をやって、それをマイクロ波に変えて地球に送って、地球の電力を賄《まかな》おうとした。そういう計画があるんです。一部は本当にやっているみたい。その衛星が上空にプカプカ浮かんでいる。そこで太陽光線を集めて、エネルギーをマイクロ波にして雲に照射すると、その雲が加熱されて、そこばかり雨が降る。それで線状降水帯ができる。ほかにちょっと考えにくい。

飛鳥　これが上下するだけで、日本列島全部に雨を降らせることができる。いまだにやっている。今、北海道で大雨ですよ。

コシミズ　あれがおかしかった。広島の安芸《あき》というところばかりに降っているんだ。

飛鳥　ピンポイントでね。とにかく何でもありの世界になっているように思えるんです。

コシミズ　むちゃくちゃですよ。でも、この地球上に、こういうふうにちゃんとわかった人たちがいるんだから。恐らくここにいる参加者以外は、ほとんど何もわかっていないと思う。今ごろ喜んでワクチンを打っている人たち。「ああ、これで安心です」。何が安心なんだ。墓に入るのが早くなって安心なのか。

〝日本大地震〟――人工地震で日本列島まるごと狙われている

飛鳥　さらに神道的に言わせてもらいますと、（笑）ことし（2021年）はウシ年です。狂牛病でしょう。ことし、諏訪大社下社春宮の筒粥《つつがゆ》神事で三下り半が4発出た。仏の顔も三度。ことしは聖徳太子崩御1400年祭なのです。自民党は一切無視ですね。オリンピックだけやった。諏訪大社ですから、四隅に御柱が4本立つ。ことし、既に殺戮《さつりく》の四天王が立ったんだよ。三分五厘《さんぶごりん》というのは三下り半だ。神から断たれるということで、このオリンピックをやった結果、東京は大変になると思う。

聖徳太子の『未然紀《みぜんき》』にこう書いてある。言葉は漢文で難しいから簡単に言うと、「東の都の周りを囲む七つの子どもがバラバラになる」と予言した。これは1都7県だ。ことし、東京はお陀仏《だぶつ》。首都機能一切停止。富士山噴火、当たり前だ。

今もし噴火したら大変ですよ。山体崩壊だから跡形も残らない。大沢崩れ（富士山真西面側の侵食谷）が後ろでどんどんばらばらになっていって、今度噴火が起こったら、富士山は跡形もない。

もっと怖いのは、山体崩壊したものすごい量の岩石、ちり、ガスを含めて、1万メートル、2万メートルも上っていくと、重さに耐えられなくなるの。噴煙柱崩壊が起こるんだ。ガーッと落ちてくるから東京は一発で終わり。7分で数百度の熱で都民がほとんど死んでしまうということも最悪起こりかねない。一言で富士山噴火と言うけれども、今度噴火したら終わりなの。

コシミズ　富士山の裾野《すその》に陸上自衛隊と米軍のキャンプがあるわけです。そこで穴を掘っても外には何もわからない。

今までの僕の地震に関するリサーチだと、この間の熊本の地震（2016年4月14

日）も、全部自衛隊の駐屯地が震源地になっているんです。熊本地震というでしょう。でも、違うんです。よく考えてみてください。熊本・阿蘇《あそ》・大分地震なんですよ。全然違う3カ所で連続して地震が起きている。そんなことは地震学上あり得ないことなんです。

飛鳥　水蒸気爆発というのは浅間山でしたっけ。自衛隊がそこで訓練していたときに、自衛隊のところで噴火が起こったんだ。これはいろんな意味でヤバイですよ。

コシミズ　北海道の胆振東部《いぶりとうぶ》地震（2018年9月6日）のときも、自衛隊の分屯地なんです。

飛鳥　アメリカ軍と自衛隊は連結されちゃっているから、何かやられてしまっていますね。ヤバイです。

コシミズ　日本は鉱山の跡がいっぱいある国なんです。鉱山は平気で数千メーター掘ってしまうので、その中に入り込んでいって核でも仕掛けると、わからないです。実は熊本地震の2日後に、僕のところの若いのが2人、ガイガーカウンターを持って現地の益城町《ましきまち》に入ったんです。そうしたら、ガイガーが鳴りまくり。つまり、核兵器を使っているということ。彼らは恐ろしいことをやっていますよ。もちろん、そんなのは背後にロックフェラーがいるわけですよ。

飛鳥　3・11の後、故デイビッド・ロックフェラーの息子が夫婦で日本に来ましたものね。あれはきっと、どれだけ被害を与えたか、現場を見聞して行ったのでしょう。

コシミズ　3・11は核を使って津波を起こしています。これは今回が初めてではないのです。1944年12月7日にやっているのです。それが東南海地震です。このとき津波も起きて、1300人ぐらい死んでいるんですよ。その地震が起きる3日ぐらい前にB29が1機だけ飛んできて、「これから大きな地震が起きるよ」というビラをまいていったのです。

飛鳥　菊川さんの富山はどうですか。仮に富山で大きな地震が起こっても、富山湾は相当深いから、津波が大きくならないんだね。

菊川　富山は地面が違うみたいで、能登《のと》に大地震が起きても、長岡で大地震が起きても、富山は大丈夫なんです。

飛鳥　立山連峰《たてやまれんぽう》があって、デンと構えてくれているからという説もある。

菊川　富山県人は、立山が守ってくれると言うんです。

コシミズ　糸魚川《いといがわ》のところにすごい断層が。

菊川　あそこに中央地溝帯、フォッサマグナがありますけどね。

飛鳥　ただ、怖いのは、富山の場合は逆に山津波が起こる。山からザーッと、軽ければ土砂崩れだけど、土石流ですね。海とは逆のほうが怖い。あまり油断はできない。

菊川　よくご存じですね。立山のあそこに今防砂対策をやっているんですけども、あそこにあるものが崩れたら、富山市あたりまで全部埋まっちゃうと言われているんです。

コシミズ　何か日本沈没みたいな話だ。

飛鳥　南海トラフ、東南海トラフ、東海トラフ、三陸沖、富士山噴火も含めて、一斉に起こる可能性がある。だから、僕は「日本大震災」とあえて言っているわけよ。今まで部分的だったけど、今度まとめて来るよ。

コシミズ　ただ、そう簡単に地震は起こせないんですよ。やっぱり7000メートルぐらい掘らないとダメなんですね。それを掘るには何年もかかる。実際3・11の前に、アメリカの潜水艦とか、かなり長い間をかけて穴を掘っていたみたいです。

飛鳥　ところが、さっきおっしゃったことで答えが一つあって、マイクロウエーブを照射してクロスさせると、プラズマが発生するのです。これは大槻義彦早稲田大学名誉教授の実験で確かめられている。マイクロウエーブを地下でクロスさせると、地上にいる人たちには影響はないのです。クロスしたところがポイントなのです。例えば地下水が爆発するんです。そうすると、理論的には巨大地震が起こせる。ＨＡＡＲＰ《ハープ》と連動しているのではないかという説も一つあるんです。

今、核兵器を使うという方法が一番スタンダードなんだけれども、高周波、マイクロウエーブを使えば、巨大地震の引き金になる。これはトリガーですから、小さくてもいいのです。カチッと火をつけるだけで大爆発を起こすことが可能な時代になった。

コシミズ　プレートテクトニクスという理論はウソだという話があって、実は地中において水素が爆発する、核融合が起きている、それが地震につながっているという説もある。そういう説を唱えると、あっという間にがんになって死んじゃうんです。

それを唱えた山本寛さんを僕は２００８年に講演会にお呼びして、話をしていただいたんですけれども、その後、すぐ亡くなられてしまいました。

飛鳥　出雲大社の沖に隠岐《おき》という島があるんです。あの島はオスとメスの二つに別れていて、巨大噴火で島前《どうぜん》は吹っ飛んで、真ん中がクレーターになっているんです。そのクレーターの角度が垂直なんです。どれだけすごい火山爆発だったか。ところが、マグマの痕跡《こんせき》がないんです。どんな火山噴火かということで、今、世界中から地震学の権威が来ているのです。

隠岐は陰と陽の二つの島になっているんですけれども、ちょうどヒョウタンの形になっていて、地下に膨大な真水があることがわかった。水が噴火した。その水の噴火は、先ほどおっしゃったプレートテクトニクスでなくて、プルームテクトニクスという理論で、核は太陽みたいなものだから、核からフレアが出ていて、そのフレアのプラズマが摂氏数万度で、隠岐の地下にある巨大な地下湖に触れたら大噴火です。プラズマだから、地球の内部のマントルという結晶構造体を透過できるわけだ。

要は、日本には、先ほどおっしゃったことを証明する物的証拠が実は山ほどあるんだけど、日本人自身がまだ気づいていていない。

コシミズ　一番怖い話をすると、それこそ大昔の話なんだけど、鹿児島の沖の鬼界《きかい》カルデラが爆発（約７３００年前）して、そのときに九州と沖縄は全滅したという話です。

飛鳥　７分もかからなかったと言っていましたね。

コシミズ　そのとき丸木舟で逃げた人たちが、青森の三内丸山《さんないまるやま》まで行ったという。

飛鳥　鹿児島湾は実はクレーターですから、桜島はそこへポコッと出ているだけなんです。阿蘇山も連携すると、恐らく日本は全滅。アメリカのイエローストーンみたいになってしまう。

コシミズ　鬼界カルデラのときは、一応北日本は生き残った。沖縄の人口がゼロになったのが、またもう1回やり直して、今の沖縄がある。そんなことがもしあったとしたら、本当に日本はおしまいです。それはやろうと思えば、人工的に起こせるかもしれないですね。

飛鳥　もうそれができる時代になった。

コシミズ　さっきのマイクロ波の話なんですけども、あれを火山の火口に撃つと……。

飛鳥　沸騰してボーンです。

コシミズ　もっと簡単にできちゃう。

参加者の質問に答える――ワクチンでなく遺伝子操作注射

質問1　「政治家、公務員はワクチンを打たなくてよい法律が既に成立している。詳しい情報を知っていればご教示願いたい」

コシミズ　彼らはイベルメクチンでなくて、アビガン（抗ウイルス薬）で防衛しています。アビガンが200万人分備蓄されています。だったら使えばいいじゃない。使わない。何に使うか。100万人のディープステートと政治家、役人たちが使います。

厚生労働省とか政府の要人は、アビガンが欲しければ厚労省の担当者に話をすると、もらえるそうです。我々がその担当者に「もらえるという話を聞いたけど」と直接聞いたらば、「そんな話はウソです」と言っていました。

飛鳥　一番助かる方法は、ニセワクチン。

コシミズ　当然です。菅さんの打っていたのは栄養剤です。というのは、注射器のシリンジが全然違うんだって。

飛鳥　ニセワクチンを打った人は助かるんです。でも、「ワクチン」という名前自身がウソだものね。

コシミズ　あれ、ワクチンじゃないものね。遺伝子操作注射。

彼らはアビガンで防衛している。ところが、その後になってイベルメクチンが出てきちゃったということなんです。つまり、彼らにとってもイベルメクチンは誤算だった。しかも、気がついてみたら、自分たちのミスで特例承認みたいのをしちゃっている。用途は違うけれども、使ってもいいよという承認を厚労省が出しちゃっているんです。たぶん後で気がついたと思います。

飛鳥　超ナノ金属の粉末で磁石がワクチンに含まれている情報を聞いたことがありますか。

菊川　ありますね。酸化グラフェンが入っているそうです。

飛鳥　これが最後に集まるところといったら、仮に脳の中に入られたら、5Gの電磁波で簡単にコントロールできるという説まで出てきている。

コシミズ　ただ、全部のワクチンが同じコンポジション（構成）ではないと思う。いろんなものを試していると思う。今後のことも考えて、3次、4次、5次と打っていく上で、どれにしようかというのを、今世界中で実験している最中ではないか。

飛鳥　それをミックスさせるんだって。ファイザー製とアビガン、アビガンとイベルメクチン、混合させるって。とにかく殺されてしまう。

質問2　「発酵食品、納豆、キムチはコロナやワクチン等に効果はあるか」

コシミズ　聞いたことないです。健康にはよさそうだけどね。

飛鳥　今回のワクチンには効果はないでしょうね。

質問3　「ワクチンパスポートの予定、方向性、回避方法があれば」

コシミズ　打たないことでしょうね。仕事を失っても打たないということです。あとは、次善の策としてイベルメクチンを最初に飲んでおけば、後からワクチンを打っても効果がかなり薄れると思います。僕のところに来ている情報では、特に副反応がないと皆さん言っています。本当はワクチンを打った後に8割副反応があるはずでしょう。でも、誰も何もないと言っています。

飛鳥　僕は実はあるワクチンを打っているんです。肺炎球菌ワクチンを打っているんです。これを打っておくと全然肺炎にならないです。何十年と世界中でずっと使われていて、安全性は確かめられている。肺炎で有名人とかたくさん死んでいるんです。誤嚥《ごえん》といって、寝ているときにウッと詰《つま》って、肺にちょっと入るだけで、簡単に肺炎になっちゃうのです。マンガなんかで、よく老人がエヘンエヘンとやっているじゃないですか。それなんだ。肺炎球菌ワクチンを打っておくと肺炎にならない。仮にイベルメクチンが手に入らなくて、何かでコロナになってしまったときに、これがあれば肺炎死することはない。

コシミズ　それならば、僕はもっといいものを。

飛鳥　もっといいものがあるの？

コシミズ　実は日本はほかの国に比べて、患者の数、死亡者、ずっと10分の1だったでしょう。理由があるんです。ツベルクリン。つまり、ツベルクリン陽性の人は基本的に感染しません。これはほかの国でもわかっている。しかも、日本株を打っている人が強いのです。

飛鳥　ＢＣＧもコロナに有効という話もあった。ＢＣＧは牛の結核菌からとっていた。牛なんですよ。狂牛病と関係してくる。ウシ年でしょう。ツベルクリンでしょう。全部牛尽くしなんだよ。

コシミズ　一つ、イベルメクチンが手に入らない人は、ＢＣＧを打つという手もあります。ただ、ＢＣＧは限られているから、なかなか打ってもらえない。だとしたら、ツベルクリンだけはできるはずだから、ツベルクリンだけでも結構効果があると思います。

飛鳥　今、病院に行ってＢＣＧを打ってくれと言っても、絶対に打たせません。

コシミズ　子どもが打つものだから。

飛鳥　ルールがあって、おたくの年齢は意味ないからと、絶対に打たせてくれないですよ。

質問4　「イベルメクチンの主成分は何か。ジェネリック製品でもオーケーなのか」

コシミズ　主成分は、伊豆か何かのゴルフ場の土を掘ったら出てきた菌から作った抗生物質です。

ジェネリック製品でもオーケーなのか。今、日本ではメルク（製薬会社）が売ってくれないんだから、ジェネリックしか買えない。インドは意外と製薬大国で、進んでいるんです。世界最大の製薬会社も実はインドにある。パッケージはダサイけれども、（笑）まあまあ、使えると思います。

質問5　「ワクチン接種してしまった人が助かる方法は何かないのか」

コシミズ　さっきも言ったように、イベルメクチンを飲むことによってかなり緩和すると思います。問題は体の中でスパイクたんぱくがどんどん生産されることであって、イベルメクチンはそれを止めてくれます。ということは何も起きないはずなんだけれども、ただ問題は、ワクチンを打ってしまって半年も放っておいて、どんどん悪くなっているのを、後からイベルメクチンを飲んだって、ボロボロになった血管はもう治らないですよ。

だから、重症化しちゃったら、もっとほかのことを考えなくちゃいけないし、一生ボロボロになった血管とつき合っていくしかないかもしれない。ただ、早い段階でイベルメクチンを投入すれば、例えば打つ前か、もしくは打った直後だったら、かなり効果があるように思います。

何でそう言えるかというと、僕のところにフィードバックされている情報、打った後、飲みました、飲んだ後、打ちましたという話を総合してみると、どのケースも効果は見えています。だけど、あんな恐ろしいものを打って100%は治らないと思う。

アメリカに内乱が起こる？　戦争するカネすらない⁉

飛鳥　アメリカはあしながおじさんのように、世界に対して、いいことをしようとしている国ですか。菊川さんは住んでおられてどう思いましたか。

菊川　私は、一般の国民の人々は好きですよ。

飛鳥　素朴だからね。

菊川　ただ、上のほうにいるわけのわからない連中がそれを牛耳っていることが、アメリカの悪です。

コシミズ　でも、アメリカの会社の社長はほとんどユダヤ人じゃないですか。

飛鳥　アシュケナジー系ですね。

菊川　ユダヤ人ですね。

飛鳥　もっと言うと、アメリカ人のすごいところは、政府を絶対に信用していないことなんだ。例えば今回のバイデンみたいに、全員ワクチンを打てと言うと、彼らは戦うんだ。そのために武装しているから、銃規制法は効かない。政府と戦うために彼らは武装しているんだよ。日本人が考えているアメリカ人と全然違うからね。あいつらは骨があるんだよ。

コシミズ　僕は、アメリカは嫌いです。（笑）何が嫌いかというと、まずジョージ・ワシントンが独立戦争で勝ったでしょう。そのときの副官にジョージ・ブッシュというユダヤ移民がいるんだ。その子孫が大ブッシュと小ブッシュ。隠れユダヤ人ですね。要するに、そういうことなんですよ。

もう一つ、いいですか。もっとがっかりしますよ。先ほど飛鳥さんはアブラハム・リンカーンの話をしました。アブラハムは超ユダヤ系の名前です。僕がいろいろ調べていたら、彼は大金持ちの婚外子なんです。大金持ちのお父さんの名前はスプリングシュタインという。ユダヤ人です。

飛鳥　アシュケナジー系ユダヤでできているのがアメリカなんです。

コシミズ　全部そうなの。

飛鳥　ただ、個人個人を見ると、わりと素朴なんだよ。

コシミズ　それはアシュケナジー系ユダヤ人以外の話ですよ。

もっとがっかりしたのは……。あまり言うとがっかりするからやめようか。（笑）

菊川　切りがないですよ。

飛鳥　ただ、これだけは言える。Qアノンも含めて、トランプは黙っていない。これからアメリカは恐らく内乱状態に入る。軍隊にもワクチン接種に反対しているやつが結構いるんだよ。

コシミズ　バイデンがあれだけ強権的なことを言い出したでしょう。Qアノンさんは知らぬけれども、これで共和党の人たちは絶対に許さないと思いますよ。暴動ですよ、戦争。本当の南北戦争みたいなのを絶対にやってほしい。

飛鳥　今度、アメリカの東西戦争が起こるかもしれない。州には州軍があるんです。州軍を動かせるのは知事なんだ。民主党の知事と共和党の知事が州境で争っている場合は、何か起こったときにお互いに州軍を派遣するんだ。州軍同士が戦うことも起こり得る。アメリカがそういう状態になったら世界は一気に不安定化しますから、プーチンは黙っていないよ。第3次世界大戦を起こしたいイルミナティとしては、アメリカを分裂させて戦争をさせたい。ビル・ゲイツも同じ考えでしょう。

コシミズ　でも、今のアメリカは戦争ができるような経済的状況にあるとは思えないんですね。もう破綻《はたん》した国で、カネがないからアフガニスタンから撤退したわけですから。そういった意味では、戦争するカネもない。

飛鳥　でも、内乱するカネはある。

コシミズ　いや、もうそのカネもない。（笑）ベンジャミン・フルフォードによれば、アメリカで使っているドルと、アメリカ以外で使っているドルは、違うドルだそうです。

飛鳥　そうだろうね。

コシミズ　国内で使っているドルを外に持ち出しても、何も買えないそうです。

飛鳥　ドル札に何か1本スーッと入っているんだよね。あれでわかるらしいんだ。あと、カナダドルとか、香港ドルとか、ドルでもいろいろあるんだよ。

コシミズ　アメリカの経済破綻があるから、こういう変なコロナ騒ぎを起こしていると私は思うんですよ。

飛鳥　金《きん》、ゴールドがないから。

ツインタワーの地下にあった金はどうなったか

コシミズ　ひどい話がありましたね。9・11のときに、WTCの地下に金のインゴットが置かれていて、全部溶けちゃったという話になっている。溶けちゃったからないんだよと言っているらしいです。

飛鳥　今度、日本人を全部殺して、金を奪いに来るんでしょう。日本の国立公園、国定公園には金鉱床が眠っている。それから、あと、日本列島の周りにはものすごいレアメタルの層があって、金鉱床は山ほどある。沖縄なんか3本あるんだよ。青森県の恐山は金が露出しています。でも、掘れない。アメリカが掘りに来るんだ。日本人を全部殺してしまえばいいわけだから。

コシミズ　本当にアメリカはいいかげんにしてほしいよ。彼らは国際社会から引退してもらって、我々日本人が世界の盟主にならないとうまくいかないですよ。我々は私利私欲で動かない。日本人だけはちゃんと正義のために働くでしょう。だから、我々が世界のリーダーにならなかったら、本当に地球は終わっちゃいますよ。まともなのは我々だけですよ。

菊川　今コシミズさんがおっしゃっていたツインタワーの金塊は、持ち出されたんですね。

コシミズ　前日でしたっけ。

菊川　とてつもない量でしたから、たぶん前日どころか随分前からやっていると思うんですよ。ただ、当日逃げ遅れたんです。

あそこの瓦礫《がれき》を撤去して、10月30日に地下から、片側に車輪が5つといいますから、大きなトレーラーに金塊が満載されたものが出てきたんですよ。それがたしか240億円分、重さにして24トンなんですけども、本当はそれ以上、金銀合計で1920億円相当あったんです。それは既に全部持ち出されて、240億円分が最後に残っていたんです。

その残っていた金塊について、フェデラルリザーブ（連銀）が、もうじき金が出て

http://www.pbs.org/americarebuilds/engineering/engineering_property_02.html

ブルース・ウィルス主演で1995年に公開された映画『ダイ・ハード３』がありました。この映画は、犯人たちが学校に設置したという爆弾の捜索にNY市警全体が振り回されているすきに、犯人たちはNY連邦準備銀行地下金庫をまんまと破り、大量の金の延べ棒をトラックに積んで堂々と持ち出すというストーリーでした。

９月11日の朝は、警察隊のみならず消防隊もたくさんの一般人も、ツインタワー上階から上がる黒煙に気を取られていました。そうしているうちに金銀を積んだ大型トラックがビルの地下から出て行ったという、ブルース・ウィルスの映画も顔負けの盗難事件が実際に起こっていたのです。

映画の中では、金塊を積んだトラックがNY市内走行中に、ブルース・ウィルス扮《ふん》するジョン・マクレーン刑事が行き先を突き止めてしまいました。ところが現実は映画のようにはうまくいかず、４号棟地下金庫の金銀を積んだトラックの行き先は20年後の現在でも判明していません。

これは多くの読者にとってはにわかには信じがたい事件だと思いますが、このとき発見された金塊の写真が１枚だけ存在します。

PBS（Public Broadcasting Service）と呼ばれる公共放送局が事件直後からグランドゼロでの出来事を記録して、１年後の2002年９月に“アメリカ再建”と題する番組を放送しました。そのとき同じタイトルでインターネットサイトを立ち上げてテレビに出さなかった多くの写真を公開しました。その中の１枚に、汚れた後ろ姿を見せる消防士とともに写る金塊の写真がありました。

菊川征司著『9・11捏造テロ　20年目の真実』より

くるからと、2、3日前からそこに人間を配置していたらしいんです。むちゃくちゃですね。

飛鳥　だから、陰謀論は正しいんです。

コシミズ　陰謀論じゃないんですよ。本当の陰謀なんだ。

菊川　事実ですけれども、それを言うと陰謀になるんです。この金塊の話は恐らく日本では報道されていないはずです。翌日の10月30日に、ニューヨークで『デイリーニュース』か何かが報じたんです。だから、ニューヨークにいる日本のテレビ局とかNHKなんかの駐在員は絶対に読んでいて、知っているはずです。

彼らが止めたのか。それとも、日本に送ったけれども日本のほうで止めたのか。たぶん日本の本社でね。なぜかというと、同じような例があるからです。米国とイスラエルの二重国籍を持つユダヤ人がツインタワーで4000人働いていたと言われているんです。その4000人が、あの事件当日、誰も出てこなかった。

コシミズ　2人だけ例外がいたんです。我々も細かいね。（笑）

菊川　『ニューヨークタイムズ』が発表した国別の死者数でイスラエル人の死者は2

人なんです。１人はアメリカン航空11便に乗っていた。この人は元イスラエル国防軍サイェレット・マトカルの対テロ部隊長で、見物のために乗っていたのです。もちろん死んでいません。もう１人はツインタワーにいたんですけれども、この人はイスラエルのビジネスパーソンで、あの日、たまたまあそこにいたんです。さすがのモサドもこの人の動きまでは摑《つか》んでいなかった。それで死んでしまった。日本人の死亡者は25人ぐらいいるんですよ。

コシミズ　富士銀行があのビルに入っていた。

菊川　ＮＨＫ解説主幹の長谷川浩さんが、10月10日23時からの特別番組でそのイスラエルの事実を言って、５日後にＮＨＫの構内で転落死しているんです。ご存じですよね。

コシミズ　有名な話ですね。

菊川　やっぱり日本にそれを公表するなという何か圧力があるんですよ。ＮＨＫの職員は正直で、それを言ったら5日後に転落死ですよ。だから、あの金塊の話も恐らく日本で止められているはずなんです。

飛鳥　だから、私はアメリカ大使館じゃないよと言っている。あれは極東のCIA本部なんです。だって、ロシアがすぐそばにあって、中国もあって、北朝鮮もあって、CIAが駐屯していないはずがないじゃないですか。あれは日本を完全に監視するためのシステムの一つ。それから、横田基地にはNSAがいるし、NSAの駐在員が2人、アメリカ大使館に行ったことはエドワード・スノーデンも暴露している。とにかくアメリカ大使館は曲者なんだよ。あれが自民党を完全に制覇している。言うとおりに動かしています。

コシミズ　そのCIAが、大統領がトランプさんになってからちょっと変質して、少しはマシになったと見る向きもあると、なっていませんか。

菊川　どうなんですかね。(笑)

コシミズ　あと、WTCが倒壊して、その保険を日本の損保が3社ぐらいで引き受けちゃっていた。結果、どうなったか。はい、潰れました。

心配するな！　変異するほど弱毒化する

コシミズ　とにかくコロナの問題については、ドン詰まりでどうにもならないという状況だったのですが、僕も最後の望みでイベルメクチンをいろいろ調べてみたら、使えそうです。だから、これにかけて、この薬がもっと一般に普及するようにしたい。死にそうな人も飲ませれば治るんですから。肺炎で肺が真っ白の人も治るんですよ。8日たっても9日たっても、1粒飲むと次の朝には平熱に下がっている。これって普通あり得ないでしょう。

効果が90％もある。効果のない人は10％しかいない。そんな薬、ないんですよ。ものすごく優秀だということです。これはきっと神様が我々に与えてくれたものだと思う。これをうまく利用して、あのごろつきども、ビル・ゲイツとか気持ち悪いやつ（笑）、あいつら裏社会を排除したい。

エプスタイン事件を思い出してください。変な島で若い女の子を集めて有名人たちがエッチをやっていた。主催者の富豪ジェフリー・エプスタインはビル・ゲイツとも近かった。ドクター・ファウチも近かった。何をやっていたかというと、あの島で女の子たち何十万人も集めて、人体実験をやっていたと思います。それはワクチンの人体実験。その結果として、どういうふうにワクチンを打てば不妊症になるかとか、そういう研究をやっていたと思います。

したがって、あの島の土を掘り返したら、大量の人骨が出てくると思います。誰もやらない。というのは、あまりに重要な人間ばかりがかかわり過ぎている。アンドルー王子とか、よくわかないイギリスの王族だとか。日本でも、この間、デジタル庁のトップになる人が、実はあの島に出入りしていたという話が出てクビになった。

こうしたスキャンダルがこれから出てきたとしたら、世の中が少し変わるのではないか。というよりも、このスキャンダルが出そうだから、焦ってコロナ騒ぎを起こして、うやむやにしようとしているんじゃないかとさえ私は思うんです。

菊川　エプスタインも殺されましたからね。

コシミズ　本当に殺されたんですか。

菊川　個室の牢屋《ろうや》のベッドの脇で、シーツで首をくった。自分でハングして死んだという。

飛鳥　あり得ない。

菊川　ベッドにどうやって。

コシミズ　ドアノブにネクタイでというやつ。

飛鳥　日本では、みんなドアノブで死ぬんだ。あり得ないんだよ。

菊川　間違いなく殺されています。

最後にまとめの言葉をということなので。コロナは今からインフルエンザ並みになっていくだろうとは思うのですけれども、今ワクチンを打っちゃった人はイベルメクチンしかないか。たぶん何か出てくるだろうと思うのです。現段階において、ウイルスベクターのワクチンも、ｍＲＮＡ《メッセンジャー》のワクチンも、どちらも副反応の解決法を私はわからないです。どうなるかは誰にもわからないと思うのです。あるとしたら、やっぱりイベルメクチンだけかなとは思うんですけども。

コシミズ　仕掛けたやつらは知っているんですよね。

飛鳥　もちろん。

菊川　たぶん知っていますね。

コシミズ　捕まえて首を絞めて、聞き出しましょうか。

菊川　基本的にＳＡＲＳ《サーズ》もコロナですけれども、ＳＡＲＳもＭＥＲＳ《マーズ》も、ワクチンも治療薬も一つもできていないのです。ＳＡＲＳが出たのが２００２年ですよ。

　新型コロナは２０１９年の終わり、２０２０年の初めごろに表に出て、中国が最初のワクチン特許を申請したのが3月ですよ。あり得ない。前からつくっているんです。だから、たぶん何か解決案が出てくると思うんです。現代の医学の力を信じたいんですけども、それしかないですね。

コシミズ　でも、彼らの仲間は基本的にワクチンを打たないですものね。

飛鳥　ファイザーの社長は打っていませんからね。

菊川　ビル・ゲイツも打っていないと自分で言っていますよ。現実です。

飛鳥　僕は茨城県牛久から来ているんです。緊急事態宣言下に突入しているんですけど、何も困りません。のどかですわ。何もない。怒られるかもしれませんけど、放っておいていいんです。

コロナは赤ちゃんも死なないんです。幼児も死なないんです。感染力だけが強いんです。あれは間違いなくワクチンを打たせるためのまき餌《え》。感染力だけコロコロ変わる。インフルエンザの15倍の長さのRNAだと言われている。ということは、15倍速くコロコロ変わるから、それだけのウイルスなんですよ。ほとんど無毒です。幼児が死なないんだよ。

年寄りが死んでいると言うけれども、実はアメリカでCDCのデータをもとにしたデータがあって、2020年にものすごいことになったけれども、高齢者の死者数は変わらなかった。それまでのアメリカは、肺炎とか脳梗塞《のうこうそく》とか、いろんな形でみんな死んでいるんです。65歳以上の死者数は、2020年のコロナ禍で大変なときと同じ数なんです。日本では逆に減っている。インフルエンザとか、夏風邪とか、誤嚥とかで死んでいるだけだ。それを60万人死んだと、ワーッとテレビが騒いでいる。オオカミ少年効果だ。

牛久市なんか全然平気だ。むしろマスクしているほうが害が多いよ。マスクの中で雑菌が涌《わ》いて、それを呼吸しているんだから肺が悪くなって、健康な年寄りでも肺炎になって死ぬ。マスクを二重にするとか、三重にするとか、バカか。酸素が入ってこないからますます頭がおかしくなっていくぞ。考えられなくなる。すぐ切れやすくなる。今、プール用のマスクまで開発しようとしている。笑い話か。

最悪、何もしないほうがいい。放っておけばいいのよ。感染してもただの夏風邪だ。事実、はっきりしているの。3カ月間もコロナ・ショーを日本中に見せつけたイギリス船籍の怪しげなクルーズ船を見てみなさい。あれはほとんど基礎疾患があるような年寄りばかりだ。基礎疾患のある人たちが糖尿病の薬とかもらえなかったでしょう。問題になったじゃない。ボロボロになった状態で解放だ。それは死ぬわ。

中国で告発した医師は、中国共産党に殺されているんだ。だって、都合悪いもの。自分たちが抑えつけてなった。中国人がたくさん死んだ。あれは普通に死んでいる老人たちだ。アメリカも日本も、世界中そうだよ。死者数は何もふえていないんだ。

ひどいのは、インフルエンザ患者ゼロ。日本では1000分の1だ。あり得ない。

医者は何と言っているか。「いやあ、コロナのほうが強かったんですね」と。ウソつけ。ＰＣＲはインフルエンザとか全部陽性にしちゃうんだよ。放っておけばいいんだ。

ただ、テレビだけが洗脳しまくる。慌てた年寄りがまずワクチンを打ちに行く。若いやつらも結局は打ちに行くんだ。放っておけ。肺炎にならなければいい。誤嚥さえしなければいいから、心配な人はイベルメクチン、あとは肺炎球菌ワクチンを打っておけば確実だ。コロナワクチンは何の得もない。

もっと言うと、感染学、ウイルス学の常識だけれど、変異すればするほど毒性が低くなる。ホントだよ。それはウイルス自身が生き残ろうとするからだ。だから、感染力だけは強いように仕掛けてあるんだ。放っておけ。牛久でも俺は平気でマスクしていない。何も言われない。

ただ、緊急事態宣言になったら、店に入るときに一応マスクはするよ。日本人は形で入る民族だから、とりあえず形だけでも。（笑）スコップで頭をたたかれるよりマシだ。

コシミズ　飛鳥さんの話を聞いていると、何か落ち着きますね。（笑）

Qアノンの登場でアメリカ7300万人が目覚めた!

質問6　「Qアノンの話もありましたが、1年前に日本の2ちゃんで「カミカゼじゃあのｗｗｗ」という固定ハンドルネームの方が、売国奴的な政治家、芸能人のスキャンダルを、謎の情報源を使って喧伝《けんでん》していました。この方はQアノンの前進組織のようなもの、もっと言ってしまえば実証実験的なものだと思うのですが、この推理は合っているでしょうか」

コシミズ　わかりません。

Qアノンは、僕は基本的に攪乱《かくらん》団体だと思っています。トランプさんの味方をしているようなふりをして、結果的には足を引っ張っているだけ。ウソの情報を垂れ流すことによって、トランプさんにまつわるいろんな情報を攪乱しているとしか見ていない。

実は僕のところにいた女性が、一部、そのトップをやっていらっしゃるそうです。オカ〇〇さんという人。Qマットだか Qアノンだか知らぬけれども、聞いたことがあるでしょう。私は結構知っている人だったんですけど、突然そちらのほうに行ってしまいました。よくわかりません。いいとも悪いともわからない。

飛鳥　実は最終的には、ロスチャイルドはアメリカ人も裏切る。イスラエル人も裏切る。全部の民族を裏切るんだ。そして自分たちだけの新世界秩序をつくろうとしている。

コシミズ　それが100万人だって。100万人がこの世界に君臨するために、少しだけ残して奴隷にする。

飛鳥　地球人口は5億でいいというから。

コシミズ　日本人も少し残るんじゃないですか。

飛鳥　天皇家は残すみたいですよ。

コシミズ　小室圭とか残っちゃうのかな。

飛鳥　アメリカが大事に囲っていますから、どうなるんでしょうね。これはまた別の話かもしれないけど、関係あるわ。

コシミズ あると思います。彼の一族もカルトですから。

飛鳥 アメリカでは小室圭はどういうふうに……。

菊川 どうなんですかね。誰も知らないんじゃないですか。よくわからないです。

コシミズ 気持ちの悪い話はやめましょうよ。

菊川 Qアノンのことに関して、私はコシミズさんの意見ともちょっと合うんです。

ＮＳＡはツイッターでつながった人、つまり反ディープステイト側の考えを持った人を割り出したでしょうから。ただ、あれは利用されただけかもしれないですけれども、非常に役に立ったことがあるんですよ。アメリカでトランプに最後に投票したのは７０００万人を超えているのです。７３００万人です。あの人気のあったオバマの得票数が６９００万なのです。それよりも多い人がトランプを応援した。

それはQアノンの登場によって、一般の主婦が「ロスチャイルド」とかいう名前を言い始めたんですね。今までそんなものを聞いたことがないという人が、ロスチャイルドという名前を口にして、こいつら、悪いやつだと言った。それが７３００万人いるんです。これは大変なことだと思うんですね。

トランプさんそのものには、私はもともとあまりいい感じは持っていないんです。ただ、いわゆるディープステートからちょっと外れた動きをしているので、アメリカの政治から言えば、彼にしか希望はない。その7300万人がいかに立ち上がってくれるか。この勢力が立ち上がったら、ひょっとしたら米国政府が持っている1000カ所の拘置所が活用されてしまうかもしれません。そのときのためにつくったのかもしれないですね。それは何とも言えないです。

飛鳥　アメリカは目を離せないですよ。いつ戦争が勃発するか。

菊川　目を離せないですよ。私は内乱が起きるんじゃないかと思っていたんですよ。オバマのときに起きると思っていたんですけれども、2017年にデイヴィッド・ロックフェラーが死にましたね。あれがちょっと影響したんじゃないかと思うんです。その次に、トランプさんが出てくるはずじゃなかったんですが、出てきちゃったものだから。今度バイデンです。バイデンはひょっとしたらあまり長くないんじゃないか。その次の女の人が曲者じゃないかな。

飛鳥　副大統領は曲者ですよ。アメリカ人の多くは、女の大統領に対して拒否反応を示すからね。

菊川　彼女は特に何かやりかねないと思うのです。

飛鳥　あれは相当ヤバいです。

　随分濃い話になってきましたね。最後に全部いいところを持っていきましたね。やっぱりアメリカに住んでおられましたから、情報に説得力がある。

菊川　両先生のような深い話はあまりできなかった。

飛鳥　何をおっしゃいますか。やっぱり現場にいる人間のほうが強いですよ。

（了）

リチャード・コシミズ
知性と正義を唯一の武器とする非暴力ネット・ジャーナリスト。1955年東京都生まれ。青山学院大学経済学部卒業後、商社勤務を経てジャーナリスト活動に入る。オウム事件、9.11テロ事件、衆参両院選の不正選挙、さらには巨大宗教団体の背後のユダヤ金融資本勢力の存在を追及して旺盛な言論活動を展開。ウェブサイトは1億7000万超アクセスと絶大な支持を受けている。

菊川征司　きくかわ せいじ
富山県生まれ。観光旅行のつもりで立ち寄ったアメリカの自由な雰囲気に魅了され、以来在米生活30年余。
9.11同時多発テロ以降、重苦しい空気へと変化したアメリカ社会の根源をさぐり調査を開始。かつて世界から羨望された豊かな国アメリカの衰退は、国際金融資本家たちの私企業たる米連邦準備制度理事会（FRB）設立に端を発することを知る。米国民に警鐘を鳴らしていた本物の政治家たちの遺志を継ぎ、『闇の世界金融の超不都合な真実』（徳間書店）を執筆。
他に『［新装版］世界恐慌という仕組みを操るロックフェラー』『ウイルスは［ばら撒き］の歴史』『トランプとQアノンとディープステイト』『新型コロナ［ばら撒き］徹底追跡』、訳書にゲイリー・アレン著『［新装版］新世界秩序（ニューワールドオーダー）にNO！と言おう』（ヒカルランド）『ロスチャイルドが世界政府の“ビッグブラザー”になる』（徳間書店5次元文庫）。

飛鳥昭雄　あすか あきお
1950（昭和25）年大阪府生まれ。企業にてアニメーション、イラスト＆デザイン業務に携わるかたわら、漫画を描き、1982年漫画家として本格デビューする。
漫画作品として『恐竜の謎・完全解明』（小学館）等、作家として『失われた極東エルサレム「平安京」の謎』（学研プラス）等多数。小説家として、千秋寺京介の名で『怨霊記シリーズ』（徳間書店）等を発表。
現在、サイエンスエンターテイナーとして、TV、ラジオ、ゲームでも活動中。

徹底追及！

医療殺戮としてのコロナとワクチン

Precisely planned the Coronavirus Pandemic

第一刷　2021年11月30日

著者　飛鳥昭雄／リチャード・コシミズ／菊川征司

発行人　石井健資

発行所　株式会社ヒカルランド

〒162-0821　東京都新宿区津久戸町3-11　TH1ビル6F

電話　03-6265-0852　ファックス　03-6265-0853

http://www.hikaruland.co.jp　info@hikaruland.co.jp

振替　00180-8-496587

本文・カバー・製本　中央精版印刷株式会社

DTP　株式会社キャップス

編集担当　小暮周吾

ISBN978-4-86742-054-6

ヒカルランド　好評既刊！

地上の星☆ヒカルランド　銀河より届く愛と叡智の宅配便

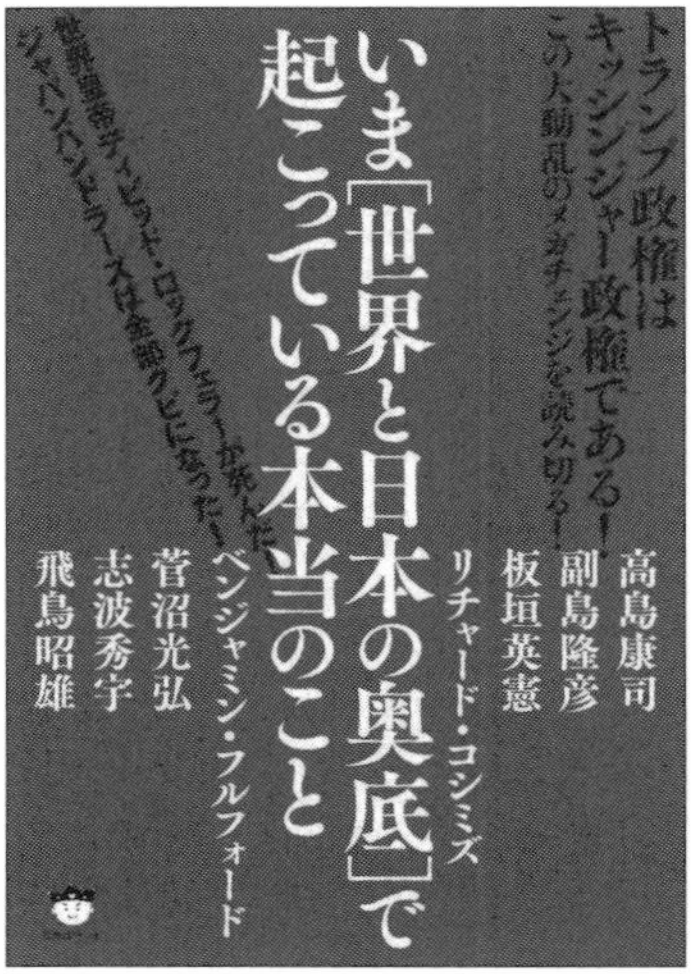

トランプ政権はキッシンジャー政権である！
いま世界と日本の奥底で起こっている本当のこと
著者：飛鳥昭雄／板垣英憲／志波秀宇／菅沼光弘／高島康司／ベンジャミン・フルフォード／リチャード・コシミズ／副島隆彦
四六ソフト　本体 1,851円+税

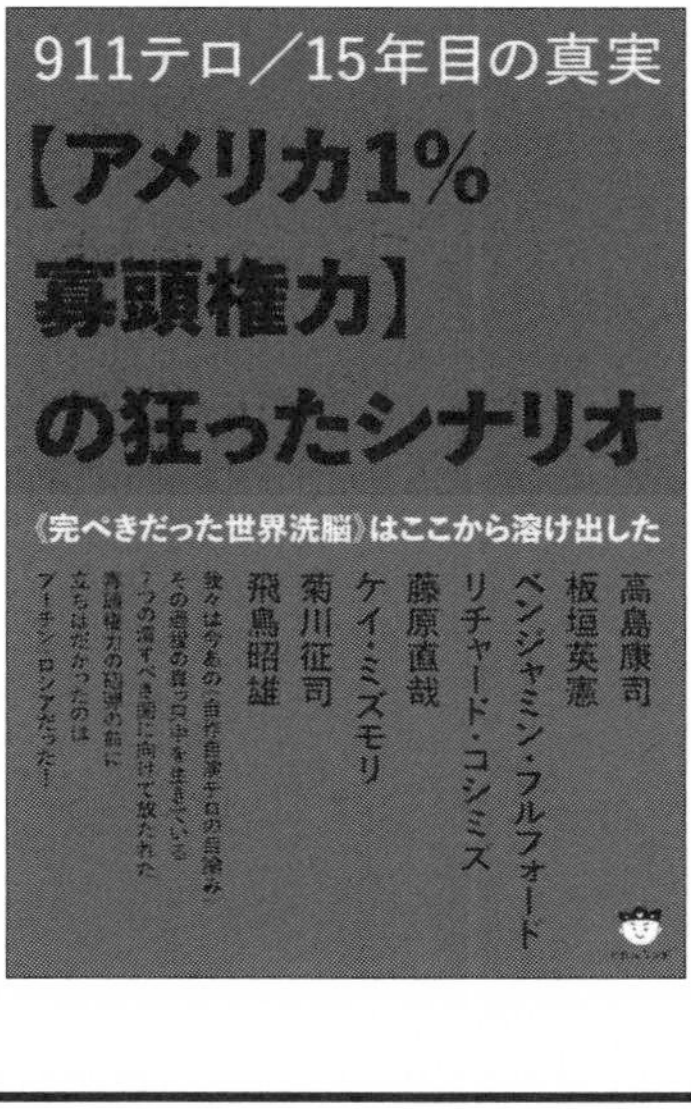

911テロ／15年目の真実
【アメリカ1%寡頭権力】の狂ったシナリオ
著者：高島康司／板垣英憲／ベンジャミン・フルフォード／リチャード・コシミズ／藤原直哉／ケイ・ミズモリ／菊川征司／飛鳥昭雄
四六ソフト　本体 1,851円+税

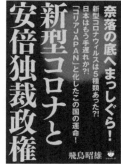

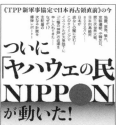

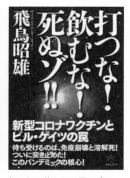

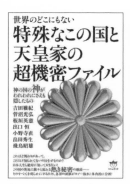

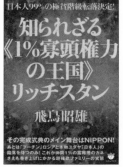

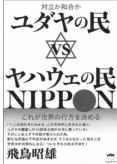

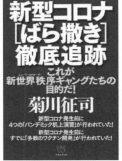

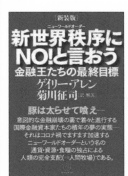

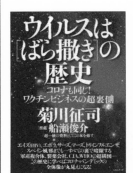

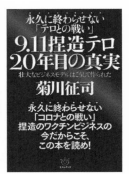

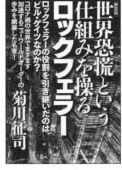

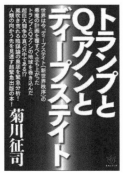

ヒカルランド　好評既刊！

地上の星☆ヒカルランド　銀河より届く愛と叡智の宅配便

PCRは、RNAウイルスの検査に使ってはならない
著者：大橋 眞
四六ソフト　本体 1,300円+税

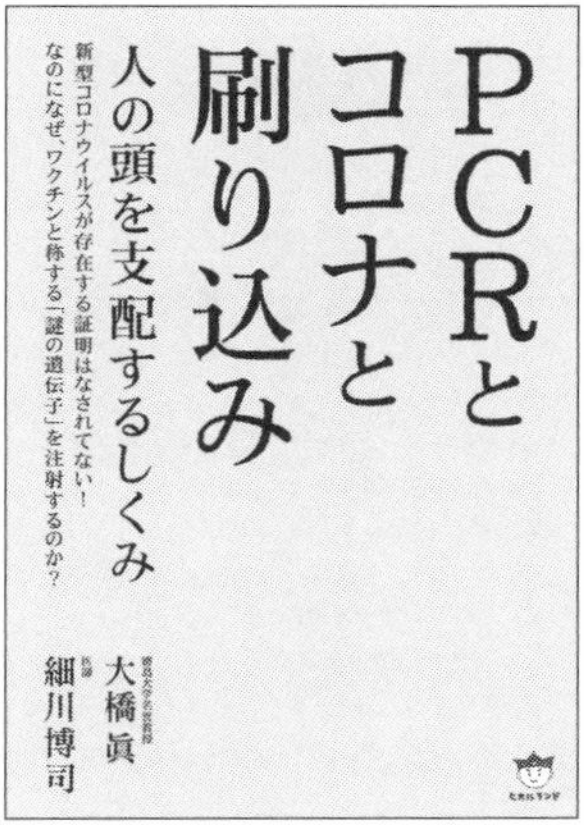

PCRとコロナと刷り込み
人の頭を支配するしくみ
著者：大橋 眞／細川博司
四六ソフト　本体 1,600円+税

時事ネタ系４コマ漫画集
コロナは概念☆プランデミック
著者：片岡ジョージ
Ａ５ソフト　本体 1,600円+税

答え　第1巻［コロナ詐欺編］
著者：デーヴィッド・アイク
訳者：高橋清隆
四六ソフト　本体 2,000円+税

ヒカルランド　好評既刊！

地上の星☆ヒカルランド　銀河より届く愛と叡智の宅配便

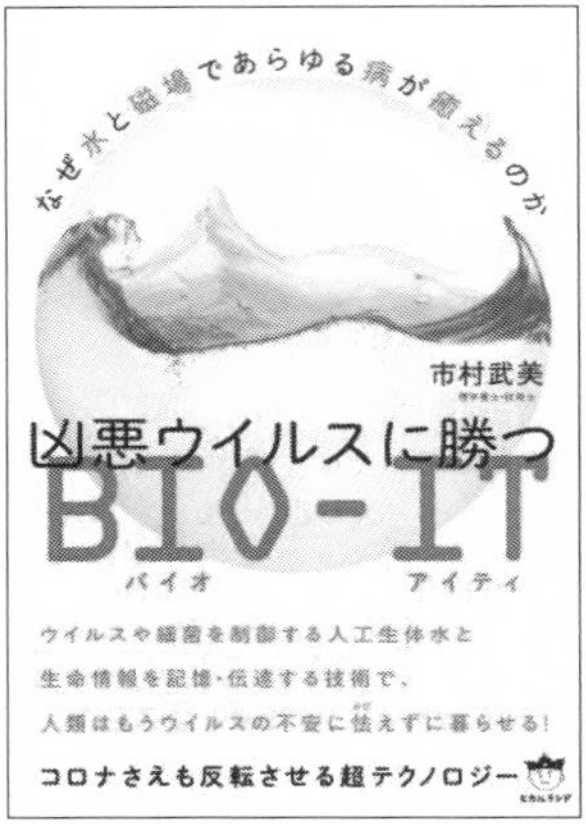

凶悪ウイルスに勝つBIO-IT（バイオアイティ）
コロナさえも反転させる超テクノロジー
著者：市村武美
四六ソフト　本体 2,000円+税

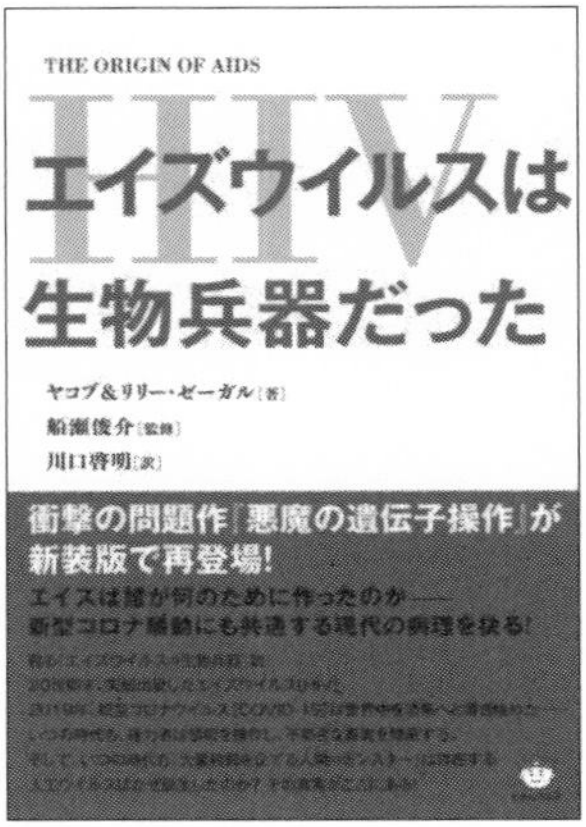

エイズウイルス（HIV）は生物兵器だった
著者：ヤコブ＆リリー・ゼーガル
監修：船瀬俊介
訳者：川口啓明
四六ソフト　本体 2,000円+税

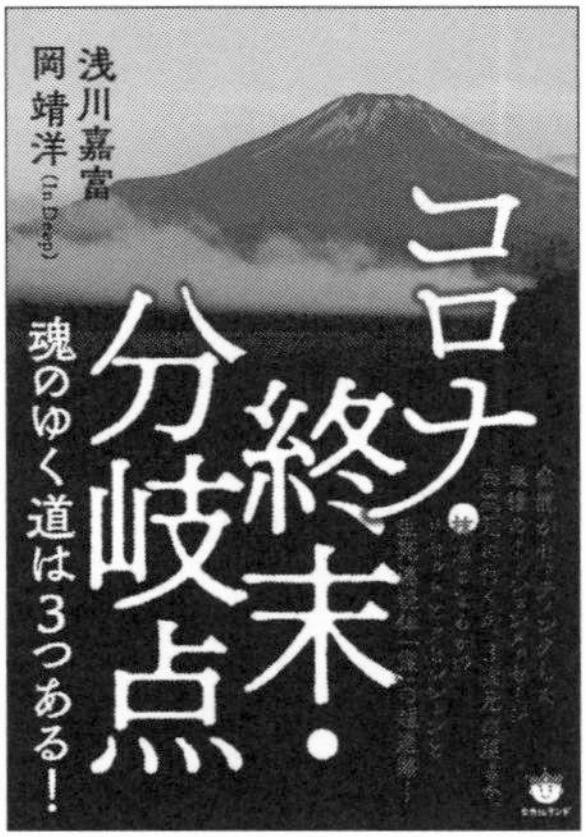

コロナ・終末・分岐点
魂のゆく道は３つある！
著者：浅川嘉富／岡 靖洋
四六ソフト　本体 2,000円+税

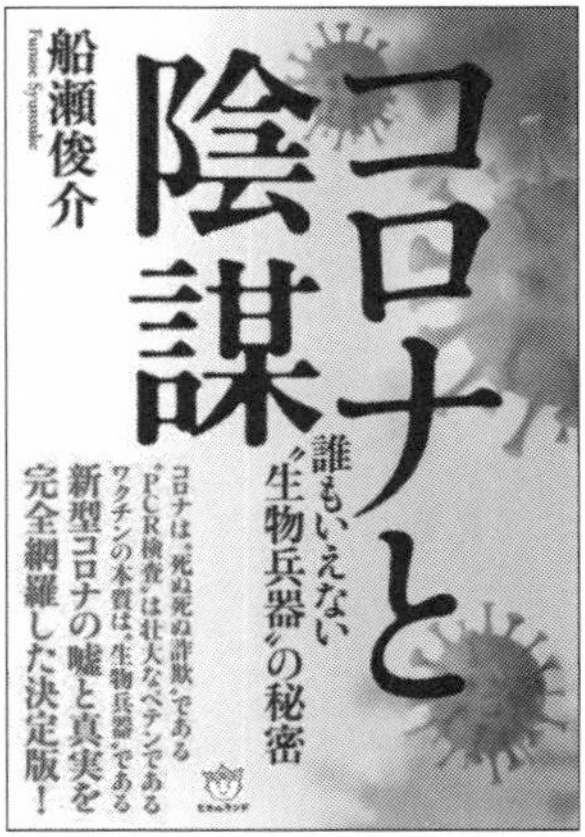

コロナと陰謀
誰もいえない“生物兵器”の秘密
著者：船瀬俊介
四六ソフト　本体 2,500円+税